· 중졸

검정고시의 정석

한국사

편집부저

도서
출판 국자감
www.kukjagam.co.kr

목차 | CONTENTS

한국사

01 선사 문화와 여러 나라의 성장

1 선사 시대의 생활

(1) 우리나라의 선사 시대

1) 우리 민족의 기원

① 만주와 한반도를 중심으로 동북아시아에 분포

② 신석기 시대 ~ 청동기 시대를 거치며 민족의 기틀 형성

주먹도끼

2) 구석기 시대

① 시기 : 약 70만 년 전 시작

② 도구

· 뗀석기 : 사냥 도구(주먹도끼, 찍개 등), 조리 도구(긁개, 밀개 등)

· 구석기 시대 후기에 슴베찌르개 사용

③ 사회 : 사냥, 채집, 물고기 잡이 → 무리를 지어 식량을 찾아 이동 생활

④ 주거지 : 동굴, 바위 그늘, 강가의 막집에서 생활

⑤ 예술 : 고래와 물고기 등을 새긴 벽화 → 사냥감의 번성을 기원

3) 신석기 시대

① 시기 : 약 1만 년 전 시작

② 도구

· 간석기 : 농경용 도구(돌괭이, 돌보습, 돌낫 등)와 조리용 도구(갈돌, 갈판 등)

· 토기 : 빗살무늬 토기

· 뼈바늘, 가락바퀴 : 옷과 그물을 제작

③ 경제 : 농경과 목축의 시작

④ 주거 : 정착 생활, 해안가나 강가의 움집

⑤ 사회 : 다른 씨족과의 혼인을 통해 부족 사회 형성, 평등 사회

⑥ 종교 : 애니미즘(정령 숭배), 샤머니즘(무당과 주술을 믿음), 토테미즘(동식물 숭배)

⑦ 예술 : 조개껍데기 가면, 치레걸이

갈돌과 갈판

빗살무늬 토기

가락바퀴

움집

② 고조선의 성립과 여러 나라의 성장

(1) 청동기 시대와 철기 시대

1) 청동기 시대

① 기원전 2,000~1,500년경 만주와 한반도에서 청동기를 사용함

② 도구

· 청동기 : 비파형 농검, 거친 무늬 거울 등 → 지배 계급의 무기나 제사용 도구

· 간석기 : 반달 돌칼 등의 농기구

· 토기 : 민무늬 토기, 미송리식 토기 등

③ 경제 : 농경과 목축 확대, 벼농사 실시

④ 주거 : 움집의 지상 가옥화, 구릉이나 강가에 취락 형성

⑤ 사회 : 사유 재산과 계급 발생, 군장(족장) 출현

⑥ 무덤 : 고인돌(지배층의 무덤), 돌널무덤

⑦ 예술 : 바위에 동식물이나 기하학적 무늬 새김, 풍요로운 생산 기원

→ 울산 반구대 바위그림

| 고인돌 | 비파형동검 | 미송리식 토기 | 반달돌칼 |

2) 철기 시대

① 시기 : 기원전 5세기 무렵부터 보급되기 시작

② 철기의 사용

· 철제 무기 사용 : 부족 간의 정복 전쟁 활발

· 철제 농기구 사용 : 농업 생산력 증대

③ 무덤 : 널무덤, 독무덤

④ 중국과의 교류 : 명도전, 반량전 등 중국 화폐 출토, 붓 발견(한자 사용)

⑤ 독자적 청동기 문화 형성 : 세형동검, 잔무늬 거울, 거푸집 발견

| 명도전 | 세형동검 | 거푸집 |

(2) 고조선의 성립과 발전

1) 고조선 건국

① 만주와 한반도 서북부 지방의 청동기 문화를 바탕으로 건국(기원전 2333)

→ 청동기 문화를 바탕으로 한 우리나라 최초의 국가

② 단군신화

· 제정일치의 지배자(단군왕검) 출현, 농경 사회 형성, 계급 발생 등 반영

· 「삼국유사」, 「제왕운기」 등에 실려 있음

2) 고조선의 성장

① 기원전 4세기 경, 만주와 한반도 북부를 통치 → 연나라와 대립

② 기원전 194년, 위만의 집권 → 철기 문화의 본격적 수용, 중계무역 발달

③ 멸망 : 한의 침략 → 고조선 멸망(기원전 108)

④ 사회 모습 : 8조법 중 3개 조항이 전해짐

· 사람을 죽인 자는 사형에 처한다.

· 남을 다치게 한 자는 곡물로써 갚는다.

· 도둑질 한 자는 잡아다 종으로 삼는다. 용서를 받으려면 많은 돈을 내야 한다.

⑤ 고조선의 세력 범위 : 비파형 동검, 탁자식 고인돌, 미송리식 토기의 발굴 범위와 일치

(3) 여러 국가의 형성과 발전

구분	정치	사회
부여	연맹왕국	순장, 영고(제천행사), 사출도(마가, 우가, 저가, 구가)
고구려	연맹왕국	서옥제, 동맹(제천행사), 무예 숭상
옥저	왕이 없고, 군장(읍군, 삼로)이 각 읍락 통치	민며느리제, 가족 공동 무덤
동예		책화, 무천(제천행사), 족외혼, 특산물(단궁, 과하마)
삼한	군장(신지, 읍차)이 각 소국 통치, 천군이 소노를 다스림 → 제정분리	벼농사 발달, 변한의 철 생산, 5월과 10월의 제천 행사, 백제(마한), 신라(진한), 가야(변한)로 성장

철기 시대 자료

· 순장(부여) : 왕이나 귀족 등의 지배층이 죽었을
때, 노비나 신하 등을 함께 묻는 장례

· 서옥제(고구려) : 신랑이 결혼한 후 신부집의 뒤
껕에 집을 싯고 살면서 신부 집에서 일을 해주다
가 자녀가 성장하면 아내를 데리고 신랑의 집으
로 돌아가는 제도

· 민며느리제(옥저) : 혼인을 약속한 후 남자 집에
서 며느리가 될 여자아이를 데려다 키운 후, 성
인이 되면 친정으로 돌려보낸 뒤 남자 쪽에서 여
자 쪽에 예물을 건네주고 혼인하는 풍습

철기 시대의 여러 나라

· 책화(동예) : 각 부족의 영역을 정해 놓고 다른 부족이 함부로 침범하지 못하도록 하
는 풍습으로, 이를 어기면 노비, 소, 말 등으로 갚는 제도

02 삼국의 성립과 발전

1 삼국의 형성과 발전

(1) 고구려의 성립과 발전

　1) 건국 : 부여 계통의 주몽이 졸본성에서 건국(기원전 37년)

　2) 태조왕

　　① 옥저 정복, 요동 지역으로 진출 추진

　　② 중앙 집권 국가의 기틀 마련

　3) 고국천왕

　　① 부족적 성격의 5부가 행정적 성격의 5부로 변화

　　② 진대법 실시 : 봄에 곡식을 빌려준 후 가을에 추수하여 갚게 한 제도

　4) 소수림왕

　　① 중앙 집권 체제 강화

　　② 율령 반포, 불교 수용, 태학 설립

　5) 광개토대왕(4세기 말 ~ 5세기 초)

　　① 만주와 한반도 중부에 이르는 영토 확장

　　② 백제를 공격 → 한강 이북 점령

　　③ 신라에 침입한 왜 격퇴 → 호우명 그릇, 광개토대왕릉비

　　④ 연호 사용(영락)

호우명 그릇

　6) 장수왕(5세기)

　　① 평양 천도 : 국내성 기반 귀족 세력 약화, 왕권 강화

　　② 남진 정책 : 나·제 동맹, 백제의 웅진 천도, 남한강 유역 진출 → 충주 고구려비

(2) 백제의 성립과 발전

　1) 건국 : 고구려계 유이민(온조 세력)이 한강 유역의 위례성에서 건국(기원전 18년)

　2) 고이왕

　　① 중앙 집권 국가의 기틀 마련

　　② 율령 반포, 관리의 등급 마련, 관복제 제정

3) 근초고왕(4세기 중엽)

① 왕위의 부자 상속 확립

② 마한의 전 지역 확보, 고구려의 평양성 공격

③ 중국의 요서 지방 · 산둥 반도, 일본의 규슈 지방에 진출

4) 침류왕 : 중국의 동진으로부터 불교 수용

5) 웅진 천도 : 장수왕의 공격으로 수도 한성 함락 → 웅진 천도

6) 무령왕

① 22담로에 왕족 파견 → 지방에 대한 통제 강화

② 중국 남조의 영향 → 무령왕릉

7) 성왕(6세기)

① 사비(부여)로 천도, 국호를 '남부여'로 변경

② 행정구역 정비 : 5부(수도), 5방(지방) 설치, 중앙 관청 22부 설치

③ 한강 유역 일시 회복 → 신라 진흥왕의 공격으로 한강 유역을 빼앗김
   → 관산성 전투에서 전사

(3) 신라의 성립과 발전

1) 건국 : 진한의 소국 중 사로국에서 시작(기원전 57년)

2) 신라 왕호 변천 : 거서간 → 차차웅(제사장) → 이사금(연장자) → 마립간(대군장) → 왕

3) 내물왕

① 중앙 집권 국가의 기틀 마련

② 김씨 왕위 세습 확립, 왕의 칭호를 마립간으로 변경

4) 지증왕

① 국호를 '신라'로 확정, 왕의 칭호를 마립간에서 '왕'으로 변경

② 우산국(지금의 울릉도) 복속

5) 법흥왕

① 상대등과 병부 설치, 율령 반포, 골품제 정비

② 불교 공인 → 백성의 사상 통일, 왕권 강화

③ 김해의 금관가야 병합

6) 진흥왕(6세기)

① 화랑도를 국가적인 조직으로 개편

② 영토 확장 : 한강 유역 장악, 고령의 대가야 병합, 함경도 지역 진출 → 단양 신라
   적성비와 4개의 순수비 건립

③ 황룡사 건립, 연호 사용(개국)

※ 삼국 전성기

백제 4C 근초고왕

고구려 5C 장수왕

신라 6C 진흥왕

(4) 삼국의 통치 체제

	고구려	백제	신라
귀족회의	제가회의	정사암회의	화백회의(만장일치제)

(5) 가야의 성립과 발전

1) **건국** : 낙동강 하류의 변한 지역에서 성장, 6가야 연맹체로 발전

　　　　　　　→ 중앙 집권 국가로 성장하지 못함

2) **전기 가야 연맹**

　① 김해 지역의 금관가야가 연맹 주도

　② 농경 문화 발달, 철 생산

　③ 광개토대왕이 보낸 고구려군의 공격으로 쇠퇴

3) **후기 가야 연맹**

　① 고령 지역의 대가야가 연맹 주도

　② 멸망 : 신라 법흥왕 때 금관가야, 진흥왕 때 대가야 멸망

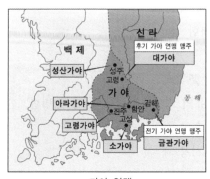

가야 연맹

4) **영향**

　① 토기 제작 기술 발달 → 일본의 스에키 토기

　② 우륵, 가야금 → 신라

가야의 판갑옷과 투구

가야의 토기

2 삼국의 사회

(1) 고구려

1) **엄격한 형벌** : 반역자와 전쟁에서 항복하거나 패한 자는 사형, 도둑질한 자는 12배로 배상

2) **혼인 풍습** : 형사취수제, 서옥제

(2) 백제

1) 고구려와 언어 · 풍속 · 의복이 유사

2) **엄격한 형벌** : 반역 · 살인자는 사형

(3) 신라

1) **골품제도**

　① 엄격한 신분제도로 개인의 사회 · 정치 활동의 범위를 결정

　② 골품에 따라 관직 진출의 제한 → 주요 관직은 진골이 독점하였고, 6두품은 주로 학문과 종교 분야에서 활동

2) **화랑도**

　① 신라의 청소년 수련 단체로 진흥왕 때 국가적인 조직으로 개편

　② 화랑(귀족 자제)과 낭도(귀족 · 평민들 자제)로 구성, 계층 간의 대립과 갈등을 조절, 완화

　③ 원광의 세속오계

3) **화백회의(귀족회의)** : 국가 중대사 결정, 만장일치제

3 삼국의 문화

  (1) 불교의 수용

    1) **목적** : 중앙 집권 체제 강화 → 왕즉불 사상

    2) **특징** : 왕실과 귀족 중심으로 발전, 호국적 성격

    3) **시기** : 고구려(소수림왕), 백제(침류왕), 신라(법흥왕)

    4) **불교 예술의 발달**

      ① 백제 : 익산 미륵사지 석탑, 부여 정림사지 5층 석탑

      ② 신라 : 황룡사 9층 목탑, 경주 분황사 석탑

  (2) 도교의 전래

    1) **전파** : 산천 숭배나 신선 사상과 결합하여 귀족 사회에 전파

    2) **영향** : 고구려 고분의 사신도, 백제의 금동대향로와 산수무늬벽돌 등에 반영

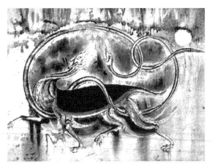  

고구려 현무도   백제 금동대향로   백제 산수무늬벽돌

  (3) 천문학 발달

    1) 농업 발전과 관련, 왕의 권위를 하늘에 연결

    2) 고구려(천문도), 신라(첨성대)

  (4) 금속기술 발달

    1) 백제 : 칠지도(백제 – 왜 교류), 금동대향로

    2) 신라 : 금관

신라 첨성대   백제 칠지도

  (5) 고분

    1) **고구려** : 돌무지 무덤(장군총) → 굴식 돌방무덤(무용총)

    2) **백제**

      ① 한성 시대 : 돌무지 무덤(서울 석촌동 고분 → 고구려와 유사)

② 웅진 시대 : 굴식 돌방무덤, 벽돌무덤(무령왕릉, 중국 남조의 영향)

③ 사비 시대 : 굴식 돌방무덤(능산리 고분)

3) **신라** : 돌무지 덧널무덤(천마총 – 천마도) → 굴식 돌방무덤

고구려 장군총

백제 무령왕릉

신라 천마도

(6) 삼국 문화의 일본 전파

1) **고구려**

① 담징 : 종이 · 먹 제조법 전파, 호류사 금당벽화

② 다카마쓰 고분 벽화(고구려 고분 벽화의 영향)

③ 혜자 : 일본 쇼토쿠 태자의 스승

2) **백제** : 일본 문화에 가장 많은 영향

① 아직기와 왕인 : 한문과 논어 등을 전파

② 노리사치계 : 불경, 불상 전파

3) **신라** : 조선술, 축제술 전래 → 한인의 연못

4) **영향** : 삼국의 문화는 일본 아스카 문화 형성에 영향을 미침, 고류사의 목조 미륵보살 반가 사유상은 삼국 문화의 영향을 받은 대표적 작품임

금동 미륵보살 반가 사유상

고류사 목조 미륵보살 반가 사유상

03 통일신라와 발해의 발전

1 고구려의 대외 항쟁과 신라의 삼국 통일

(1) 수와 당의 침략을 극복한 고구려

    1) 수의 침략과 살수대첩

        ① 원인 : 수의 침입을 미리 방지하고 전략적 요충지인 요서 지방을 선제 공격

        ② 전개

           · 1차 침입 : 수 문제의 침입 → 고구려가 격퇴

           · 2차 침입 : 수 양제가 113만 대군을 이끌고 침입, 우중문의 30만 별동대가 평양
               성 공격 → 살수에서 을지문덕이 크게 승리(살수대첩, 612)

        ③ 결과 : 고구려와의 무리한 전쟁으로 인한 국력 소모와 내란으로 수나라 멸망

    2) 당의 침략과 안시성 전투

        ① 원인 : 연개소문의 정변을 구실로 당나라가 침략

        ② 전개 : 당군은 고구려의 요동성과 백암성을 함락

        ③ 결과 : 안시성 싸움에서 당군 격퇴(645)

(2) 삼국 통일 과정

    1) 백제와 고구려의 멸망

        ① 신라의 위기

           · 백제 의자왕의 공격으로 위기에 빠진 신라가 고구려에 지원 요청 → 고구려가 거절

           · 고구려와 백제의 연합군이 신라를 공격

        ② 나 · 당 동맹 결성(648) : 김춘추의 외교 활동으로 신라와 당이 연합

        ③ 백제의 멸망(660) : 나 · 당 연합군의 공격 → 계백의 황산벌 전투 실패 → 사비성 함락

        ④ 고구려의 멸망(668) : 수 · 당과 오랜 전쟁으로 국력 소모, 연개소문의 사후 지도층
           의 권력 다툼 → 나 · 당 연합군의 침입으로 평양성이 함락

    2) 백제와 고구려의 부흥 운동

        ① 백제의 부흥 운동 전개 : 복신 · 도침(주류성), 흑치상지(임존성)

           → 지도층의 분열로 실패

        ② 고구려의 부흥 운동 전개 : 검모잠(한성), 고연무(오골성)

           → 지도층의 분열로 실패

3) 나 · 당 전쟁

① 당의 한반도 지배 야심 : 당이 한반도 전체를 지배하려는 야심

→ 안동 도호부(고구려), 웅진 도독부(백제), 계림 도독부(신라)를 설치

② 나 · 당 전쟁의 전개 : 매소성과 기벌포에서 당군 격퇴, 대동강 이남에서 당군을 완
전히 축출 → 삼국 통일 완성(676)

③ 삼국 통일의 의의

· 우리 민족 최초의 통일

· 새로운 민족 문화 형성의 계기를 마련

· 당군의 축출을 통한 통일 완성 → 자주적 성격

④ 삼국 통일의 한계

· 통일 과정에서 외세인 당을 끌어들임

· 영토의 불완전한 통일 → 대동강 이남 지역에 한정된 통일

2 통일 신라의 성립과 발전

(1) 통일 신라의 성립과 제도 정비

1) 전제 왕권 확립

① 무열왕(김춘추) : 진골 출신 중 최초로 왕위에 오름

→ 이후 왕위는 무열왕의 직계 후손들이 독점

② 문무왕 : 삼국 통일의 완성

③ 신문왕

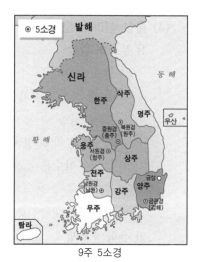
9주 5소경

· 진골 귀족 세력의 반란을 진압 → 전제 왕권
확립

· 통치 체제 정비 : 9주 5소경 정비, 국학 설립,
관료전 지급

2) 새로운 제도의 마련

① 중앙 정치 제도

· 집사부를 중심으로 운영 → 집사부와 시중의
권한 강화

· 화백 회의의 기능과 상대등의 권한 축소

② 지방 행정 제도 : 9주 5소경

· 9주 : 전국을 9주로 나누고 그 아래 군 · 현 설치

· 5소경 : 수도 금성이 남동쪽에 치우쳐 있는 것을 보완, 지방 세력 견제

· 상수리 제도 : 지방 세력(호족)을 일정 기간 경주에 머물게 함 → 지방 세력 견제

③ 군사 제도 : 9서당 10정
④ 토지 제도 정비
  · 목적 : 국가 수입 증대, 귀족들의 경제적 기반 약화
  · 관료전 지급, 녹읍 폐지 → 귀족들의 경제적 기반 약화
  · 정전 : 농민에게 토지 지급 → 국가에 조세 납부
⑤ 6두품의 성장 : 왕권과 결탁, 학문적 소양과 행정 실무 능력 → 전제 왕권을 뒷받침

(2) 통일 신라의 활발한 대외 교류
1) 무역항 : 울산항 → 최대의 국제 무역항, 아라비아 상인까지 왕래
2) 신라인의 당 진출
  ① 산둥 반도 지역 : 신라방·신라촌(신라인 마을), 신라소(감독 관청), 신라원(절)
  ② 유학생 : 주로 6두품 출신, 당의 빈공과에 합격, 김운경, 최치원
3) 청해진 설치 : 장보고, 완도에 청해진을 설치 → 중국과 일본을 연결하는 해상 무역권 형성으로 동아시아 무역을 독점

(3) 민정 문서
1) 신라 촌락 문서로 일본에서 발견
2) 서원경의 4개 촌락에 관한 기록
3) 촌주가 3년 마다 토지, 인구, 가축과 나무의 수 등을 조사

(4) 통일 신라의 문화
1) 불교의 발달
  ① 원효
    · 화쟁 사상 : 종파 간 사상적 대립의 조화 추구
    · 정토 신앙 → 불교의 대중화에 공헌
  ② 의상 : 신라 화엄종 개창, 부석사를 건립
  ③ 혜초 : 인도를 순례하고 난 후 「왕오천축국전」을 저술
  ④ 불교 예술 : 불국사 3층 석탑, 다보탑, 석굴암(본존불상), 성덕대왕신종

석굴암 본존불상

2) 유학의 발달
  ① 6두품 출신의 활동
    · 강수 : 외교 문서 작성에 능함
    · 설총 : 이두 정리
    · 최치원 : 당의 빈공과 합격, 개혁안 건의, 「계원필경」 저술

② 김대문 : 「화랑세기」, 「고승전」, 「한산기」 저술 → 신라 문화를 주체적으로 인식

③ 교육 기관 : 국학(신문왕)

④ 관리 선발 : 독서삼품과(원성왕) → 학문의 성적에 따라 관리 선발, 귀족들 반발로 실패

   3) **목판인쇄본** : 무구정광대다라니경(불국사 3층 석탑에서 발견)

   → 현존 최고 목판 인쇄본

3 발해의 성립과 발전

(1) 발해의 건국과 발전

1) **발해의 건국(698)** : 고구려 장군 출신 대조영이 고구려인과 말갈인을 이끌고 지린성의 동모산을 중심으로 발해를 건국

2) **발해의 고구려 계승 의식**

① 일본에 보낸 외교 문서에 발해를 고구려로, 발해 왕을 고구려왕(고려국왕)이라 칭함

② 지배층의 대다수가 고구려인

③ 고구려 문화 양식을 계승

3) **발해의 주민 구성**

① 지배층 : 고구려인 대부분

② 피지배층 : 다수의 말갈인

4) **발해의 대외 관계**

① 대외 관계

· 무왕 : 당이 신라와 말갈을 이용하여 발해 견제 → 당의 산둥 지방 공격

· 문왕 : 당과 친선 관계를 맺고, 신라와도 교류(신라도 존재)

· 선왕 : 고구려의 옛 땅을 대부분 회복 → 최대 전성기로 '해동성국' 으로 불림

② 멸망 : 9세기 후반부터 국력 약화 → 거란족의 침입으로 멸망(926)

(2) 발해의 문화

1) **특징** : 수도 상경을 중심으로 불교를 바탕으로 한 세련된 귀족 문화가 발달

→ 고구려 문화 + 말갈 문화 + 당 문화

2) **고구려 문화 계승**

① 온돌, 불상(이불병좌상), 굴식 돌방무덤 양식 등

② 정혜공주 묘 : 굴식 돌방무덤, 모줄임천장 구조

3) **도자기 공예 발달**

4 신라 사회의 동요와 후삼국의 성립

 (1) 신라 사회의 동요

  1) 귀족들 간 왕위 쟁탈전 심화

  2) 지방 반란 : 중앙의 왕위 다툼과 관련하여 발생 → 김헌창의 난, 장보고의 난 등

  3) 6두품 세력의 변화

   ① 중앙 귀족이면서도 골품제로 인해 관직 승진에 제한 → 골품제의 모순 비판

   ② 통일 신라 초기 : 왕의 정치적 조언자로 전제 왕권 확립을 뒷받침

    → 학문과 종교 분야에서 활약

   ③ 통일 신라 말기 : 당에 유학하여 빈공과에 급제, 골품제의 모순 비판, 지방 호족과

    손잡고 새로운 사회 건설 도모 → 반신라 세력으로 성장

  4) 지방 호족의 성장

   ① 배경 : 지방에 대한 중앙 정부의 통제력 약화 → 호족들이 지방에서 독자적인 세력 형성

   ② 스스로를 성주 또는 장군이라 칭하면서 지방을 실질적으로 지배

   ③ 호족 : 6두품, 선종 세력과 손을 잡고 새로운 사회 건설 주도

  5) 농민 봉기 발생

   ① 발생 : 중앙 정부가 세금 독촉 → 진성 여왕 때 전국적으로 농민 봉기

   ② 농민 봉기 : 원종과 애노(상주)

  6) 새로운 사상의 유행

   ① 선종의 유행

    · 정신 수양을 통한 개인의 깨달음 중시

    · 전통적 권위 부정 → 지방 호족과 농민의 호응을 얻음

   ② 풍수지리설의 보급

    · 신라 말, 도선에 의해 널리 보급

    · 지방 호족들이 새로운 도읍의 필요성을 주장하는 데 이용

 (2) 후삼국 시대의 성립

  1) 배경 : 신라 말, 진골 귀족 간 왕위 쟁탈전 심화, 골품제의 모순 심화

    → 6두품 세력의 반발, 지방 호족의 성장, 선종 및 풍수지리설 유행

  2) 후백제 건국(900) : 견훤이 완산주(전주)에 건국

  3) 후고구려 건국(901) : 궁예가 송악(개성)에 건국

04 고려의 성립과 변천

1 고려의 건국과 귀족 사회의 형성

(1) 고려의 건국과 후삼국 통일

1) **고려 건국(918)** : 궁예의 실정, 신하들이 궁예를 몰아내고 왕건을 왕으로 추대, 수도는 송악으로 이동

2) **후삼국의 통일(936)**

① 신라 멸망(935) : 후백제의 공격으로 국력 쇠약 → 경순왕이 고려에 투항

② 후백제 멸망(936) : 견훤의 아들들 간에 왕위 계승을 둘러싼 내분, 고려가 후백제군을 격파하고 후삼국을 통일

3) **태조의 정책**

① 북진 정책 : 고구려 계승 의식

· 국호를 고려로 함, 서경(평양)을 북진 정책의 전진 기지로 삼음

· 영토 확장(청천강 ~ 영흥만)

② 호족 포섭 정책

· 혼인 정책, 왕씨 성 하사, 관직과 토지 하사

· 사심관 제도 : 호족들에게 지방의 통치를 책임지게 한 제도

· 기인 제도 : 호족의 자제들을 인질로 삼아 중앙에 머물게 함

③ 민족 통합 정책 : 통일 신라, 옛 고구려와 백제 출신 세력 수용, 발해 유민 포섭

④ 훈요 10조 : 후대의 왕들이 지켜야 할 정책 방향 제시

(2) 왕권의 안정

1) **광종**

① 과거 제도 시행 : 능력에 따른 인재 등용, 왕에게 충성하는 유능한 관리 양성

② 노비안검법 실시 : 호족이 불법으로 차지한 노비를 양인으로 해방

　　→ 호족의 경제적 기반 약화, 국가 재정 확충

③ 관리들의 공복 제정

④ 스스로 황제라 칭하고, 독자적 연호 사용(광덕, 준풍)

2) **성종**

① 최승로의 개혁안 수용(시무 28조) → 유교를 통치의 근본 이념으로 삼음

② 2성 6부제 마련, 12목 설치(지방관 파견), 국자감 설치, 불교 행사 억제

(3) 통치 체제의 정비

1) 중앙 정치 제도

① 2성 6부

· 중서문하성 : 국가 정책을 심의 · 결정

· 상서성 : 6부(이, 병, 호, 형, 예, 공)를 통해 정책 집행

② 도병마사 : 중서문하성과 중추원의 고위 관리가 참여한 최고 회의 기구

③ 식목도감 : 각종 법제 제정 및 시행 의논

④ 중추원 : 왕명 전달, 군사 기밀, 궁궐 숙위

⑤ 어사대 : 관리 감찰, 풍기 단속

⑥ 삼사 : 곡식 · 화폐의 출납 및 회계

2) 지방 행정 제도

① 5도 : 일반 행정구역 → 안찰사 파견

· 주현 : 지방관 파견

· 속현 : 지방관을 파견하지 않은 현

② 양계 : 군사 행정구역, 동계와 북계 → 병마사 파견

3) 군사 제도

① 중앙군 : 2군(궁궐과 왕실 수비), 6위(개경과 국경 방어)

② 지방군 : 주현군(5도 : 치안, 잡역), 주진군(양계 : 국경 방어)

4) 교육 제도 : 국자감(개경), 향교(지방)

5) 관리 등용 제도

① 과거 제도 : 문과, 잡과, 승과

② 음서제 : 왕족과 공신의 후손, 5품 이상 고위 관료 자제를 시험 없이 관직에 임명

5도 양계

2 고려 전기의 내외 관계

(1) 거란의 침입과 격퇴

1) 1차 침입(993)

① 원인 : 고려의 거란 배척, 송과 친선 관계 유지

② 전개 : 서희의 외교 담판 → 강동 6주 회복

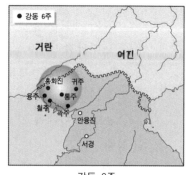

강동 6주

2) **2차 침입(1010)** : 강조의 정변을 구실로 침입 → 개경 함락 → 양규의 활약 등으로 거란 철수

3) **3차 침입(1018)**

① 원인 : 고려가 송과 관계 유지, 강동 6주 반환 요구 → 거절

② 전개 : 거란의 대규모 침략 → 강감찬의 귀주대첩(1019)

③ 국방력 강화 : 개경 주위에 나성 축조, 천리장성 축조

(2) 여진의 성장과 동북 9성의 축조

1) **여진과의 관계** : 고려를 부모의 나라로 섬김 → 12세기 이후 성장, 고려를 침입

2) **여진 정벌** : 윤관의 별무반 편성 → 여진 정벌 → 동북 9성 축조 → 반환

3) **군신 관계 체결** : 금 건국(1115) → 거란 멸망 → 고려에 군신 관계 요구 → 고려(이자겸)의 사대 요구 수용

3 고려 전기의 경제와 사회

(1) 고려 전기의 경제 생활

1) **토지 제도**

① 전시과 : 관리 등급에 따라 토지(전지)와 임야(시지)를 지급, 퇴직하면 국가에 반납

② 공음전 : 5품 이상의 고위 관료에게 지급 → 자손에게 세습 가능

2) **화폐 주조** : 건원중보, 삼한통보, 해동통보, 활구(은병)

→ 주로 화폐 대신 곡식이나 포를 사용, 화폐는 널리 사용되지 못하였음

3) **국제 무역항** : 벽란도

(2) 고려 전기의 사회 생활

1) **신분 구조**

① 귀족 : 왕족, 고위 관료, 음서와 공음전의 혜택

② 중류층 : 서리, 남반, 향리, 하급 장교 등

③ 양민(평민)

· 대다수가 농민(백정)

· 향 · 소 · 부곡 : 향 · 부곡(농업에 종사), 소(수공업에 종사), 다른 지역으로 이주 금지, 일반 군 · 현 지역보다 더 많은 세금 부담

④ 천민 : 대다수가 노비

2) 민생 안정을 위한 시설

① 의창 : 고구려의 진대법 계승, 곡식 빌려줌

② 상평창 : 물가 조절 기관

③ 동 · 서 대비원 : 빈민 환자 치료, 개경에 설치

④ 혜민국 : 의약 전담

⑤ 제위보 : 기금으로 마련된 이자로 빈민 구제

3) 혼인 제도와 여성의 지위

① 혼인 제도 : 일부일처제가 원칙, 남자가 결혼 후 처가에서 생활하기도 함

② 여성의 지위

· 여성의 이혼 및 재혼이 비교적 자유로웠음

· 남녀 구별 없이 호적에 태어난 순서대로 기록함

· 남녀 균등 상속이 이루어짐

· 딸이 제사를 지낼 수 있음

4) 향도 : 매향 활동을 하던 불교 신앙 조직 → 농민 생활을 주도하는 조직으로 발전

4 문벌귀족 사회의 동요와 무신정변

(1) 이자겸의 난(1126)

1) **배경** : 왕실과 거듭된 혼인 관계를 통해 경원 이씨가 권력 독점

2) **전개** : 이자겸의 세력 강화 → 인종의 이자겸 제거 시도 → 이자겸과 척준경의 반격
→ 인종이 척준경을 회유하여 이자겸을 제거

3) **결과** : 왕실의 권위 하락, 문벌 귀족 사회의 동요

(2) 묘청의 서경 천도 운동(1135)

1) **배경**

① 문벌 귀족의 권력 독점에 대한 불만

② 금에 대한 굴욕적인 사대 외교에 반발

2) **주장** : 묘청과 정지상 등 서경 세력이 서경 천도, 칭제건원, 금 정벌 등 주장

3) **과정** : 인종의 서경 천도 계획 추진 → 김부식 등 개경 세력의 반대
→ 묘청 등이 서경에서 반란을 일으킴(국호 : 대위, 연호 : 천개)
→ 김부식이 이끄는 관군에게 진압

4) **성격** : 문벌 귀족 사회의 모순을 드러냄

(3) 무신 정변(1170)

1) **배경** : 문신 위주의 정치와 무신에 대한 차별 대우

2) **전개** : 정중부를 중심으로 무신들이 정변을 일으킴 → 문신 제거, 무신의 권력 독점

3) **무신 집권자의 변천** : 이의방 → 정중부 → 경대승 → 이의민 → 최충헌

4) **최씨 정권의 성립** : 최충헌이 이의민을 제거한 후 권력 장악 → 4대 60여 년 간 지배

5) **무신 정권의 운영**

   ① 중방 : 무신 정권 초기의 최고 권력 기구

   ② 교정도감 : 최충헌이 설치, 최씨 정권의 최고 권력 기구

   ③ 정방 : 최우가 설치, 인사 행정 담당

   ④ 도방, 삼별초 : 최씨 정권의 군사적 기반

(4) 농민과 천민의 봉기

1) **배경** : 무신 집권자들의 경제적 수탈 심화, 천민 출신 무신 집권자(이의민)의 등장

2) **하층민의 봉기**

   ① 망이 · 망소이의 난(공주 명학소) : 일반 군현에 비해 많은 세금 부담에 반발

   ② 김사미(운문)와 효심(초전)의 난 : 경상도 일대에서 세력 확대

   ③ 전주 관노비의 난 : 지방관의 횡포에 불만을 품고 봉기

   ④ 만적의 난 : 최충헌의 사노비인 만적이 개경에서 신분 해방을 목표로 봉기 → 실패

5 대몽 항쟁과 반원 자주 정책

(1) 몽골과의 항쟁

1) **고려의 대몽 항쟁**

   ① 1차 침입 : 귀주성 전투(박서), 충주 관노비들의 항전

   ② 최씨 정권의 강화도 천도

   ③ 2차 침입 : 처인성 전투(김윤후) → 몽골 장수 살리타 사살 → 몽골군 철수

   ④ 팔만 대장경 조판 : 민심을 모으고 부처의 힘으로 몽골을 물리치려 함

   ⑤ 황룡사 9층 목탑 소실

2) **몽골과의 강화** : 최씨 무신 정권 붕괴 → 몽골과 강화 성립 → 개경 환도

3) **삼별초의 항쟁**

   ① 배경 : 최씨 정권의 군사적 기반이었던 삼별초가 개경 환도에 반대

   ② 전개 : 강화도(배중손) → 진도 → 제주도(김통정)로 근거지를 옮기며 항쟁

   ③ 의의 : 고려인의 자주 의식 확인

(2) 원의 내정 간섭과 권문세족의 등장

1) 원의 내정 간섭

① 정동행성 설치 : 일본 원정을 계기로 설치 → 일본 원정 실패 후 고려 내정 간섭 기구

② 국왕을 통한 간접 지배 : 고려 국왕은 원 공주와 혼인, 원에 의한 왕위 교체

③ 영토 상실 : 동녕부(서경), 탐라총관부(제주도), 쌍성총관부(화주) 설치

④ 관제 · 왕실 용어 격하 : 폐하 → 전하, 태자 → 세자

⑤ 과도한 조공 요구 : 금, 은, 인삼, 매(응방 설치), 공녀 등 요구

⑥ 몽골풍 유행 : 변발, 몽골식 복장

2) 권문세족의 등장

① 친원적 성향이 강함

② 주로 음서로 관직 진출

③ 백성의 토지를 빼앗아 대농장 경영

3) 공민왕의 개혁 정치

① 배경 : 14세기 중반 원의 쇠퇴, 신진 사대부들의 사회 개혁 주장

② 반원 자주 정책

· 친원파 숙청, 정동행성 폐지, 몽골풍 금지, 관제 복구

· 쌍성총관부 공격 → 철령 이북의 땅 회복

③ 왕권 강화 정책

· 정방 폐지

· 전민변정도감 설치 : 권문세족이 불법으로 빼앗은 토지와 노비를 본래의 주인에게 돌려주고, 억울하게 노비가 된 자를 양민으로 해방시킴

철령 이북 회복

6 고려 문화의 발달

(1) 학문의 발달

1) 역사서의 편찬

① 고려 초기 : 왕조 실록, 7대 실록 편찬 → 거란의 침입으로 소실

② 고려 중기

· 김부식의 「삼국사기」 : 현존하는 우리나라에서 가장 오래된 사서, 신라 계승 의식 반영, 유교적 합리주의 사관

③ 고려 후기 : 무신 집권기와 몽골의 침략 → 민족적 자주 의식이 반영된 역사서 편찬

· 이규보의 「동명왕편」 : 동명왕(주몽)의 일대기 기록, 고구려 계승 의식 반영

· 일연의 「삼국유사」 : 최초로 단군신화 기록, 불교 신앙 중심으로 설화와 향가 수록

· 이승휴의 「제왕운기」 : 단군조선을 우리 민족 최초의 국가로 기록

2) 성리학의 수용(고려 후기)

① 의미 : 인간의 심성과 우주의 원리를 철학적으로 탐구

② 도입 : 충렬왕 때, 안향이 처음으로 소개

③ 수용 : 신진 사대부가 고려 사회의 문제점을 개혁하기 위한 사상으로 수용

→ 권문세족의 횡포와 불교 폐단 비판

(2) 불교의 발전

1) 불교 통합 운동 전개

① 의천의 천태종 창시 : 교종을 중심으로 선종 통합 → 교선일치, 교관겸수

② 지눌의 조계종 창시 : 선종을 중심으로 교종 포용 → 돈오점수, 정혜쌍수

수선사 중심 - 불교 개혁 운동

2) 불교 예술의 발달

① 불상 : 논산 관촉사 석조 미륵보살 입상

② 탑 : 월정사 8각 9층 석탑, 경천사지 10층 석탑(고려 후기, 원의 영향)

③ 건축 : 안동 봉정사 극락전, 영주 부석사 무량수전

(3) 과학 기술의 발달

1) 인쇄술의 발달

① 목판 인쇄술

· 초조대장경 : 거란 침입 때 제작 → 몽골 침입 때 소실

· 팔만대장경 : 몽골 침입 때 부처의 힘으로 몽골을 물리치기 위해 제작

② 금속활자 : 세계 최초로 금속활자 발명

· 상정고금예문 : 서양보다 200여 년 앞선 것이나 현존하지 않음

· 직지심체요절 : 현존하는 세계에서 가장 오래된 금속 활자본(현재 프랑스 국립 도서관에 보관)

2) 농업 기술 발달

① 깊이갈이 일반화, 시비법 발달, 2년3작 보급, 모내기법 보급(남부 지방 일부)

② 「농상집요」 : 원의 농업서 전래

3) 목화 재배 : 문익점이 원으로부터 목화씨를 가져옴 → 의생활의 변화

(4) 공예의 발달

    1) **고려청자** : 고려 문화의 귀족적 성격, 상감청자 → 원 간섭기 이후 점차 쇠퇴

청자 상감운학무늬 매병 청자 칠보 투각 향로 경천사지 10층 석탑

7 신진 사대부의 성장과 고려의 멸망

  (1) 신진 사대부의 성장

    1) 지방의 향리 출신, 중소 지주층

    2) 성리학 지식을 갖추고 과거를 통해 관직 진출 → 권문세족의 비리와 불교의 폐단 비판

  (2) 신흥 무인 세력의 성장

    1) **성장 배경** : 홍건적과 왜구의 격퇴 과정에서 신흥 무인 세력 성장

    2) **홍건적** : 최영, 이성계 등 무인들이 격퇴

    3) **왜구** : 최무선(진포 대첩, 화포 사용), 이성계(황산 대첩), 박위(쓰시마 섬 토벌)

  (3) 고려의 멸망과 조선의 건국

    1) **원 멸망, 명 건국(1368)**

      → 명이 철령 이북의 영토를 요구하여 관계 악화

      → 최영과 우왕의 주도로 요동 정벌 강행 → 이성계는 요동 정벌에 반대

    2) **위화도 회군(1388)** : 이성계가 위화도에서 회군 → 최영 제거, 우왕 폐위

                          → 이성계가 정치적 · 군사적 실권 장악

    3) **과전법 실시(1391)** : 권문세족들의 토지를 몰수, 신진 사대부들에게 재분배

    4) **조선의 건국(1392)** : 이성계를 중심으로 한 신흥 무인 세력 + 정도전 등의 신진 사대부

    5) **한양 천도(1394)**

05 조선의 성립과 발전

1 조선의 건국과 통치 체제 정비

(1) 조선의 건국(1392)

1) 국가 기틀의 확립

① 태종
- 국왕 중심의 통치 체제 정비 → 6조 직계제 실시
- 사병 혁파 : 군사권 장악
- 호패법 실시 : 인구 파악, 조세 징수와 군역 부과에 활용

② 세종
- 유교 정치 실현 : 왕권과 신권의 조화 추구 – 의정부 서사제 실시
- 집현전 설치 : 훈민정음 창제 → 민족 문화 발달
- 과학기술 발달 : 측우기, 해시계, 물시계 등
- 영토 확장 : 여진족 정벌 → 4군 6진 개척

③ 세조
- 왕권 강화 → 6조 직계제 실시, 집현전 폐지
- 직전법 실시

④ 성종
- 경국대전 완성, 반포 : 유교 중심의 국가 통치 질서 확립
- 홍문관 설치

(2) 조선 전기의 대외 관계

1) **명** : 사대관계, 경제적·문화적 실리 추구

2) **여진(교린 정책)**

① 강경책 : 세종 때 여진족 정벌 → 4군 6진 설치(4군 – 최윤덕, 6진 – 김종서)

② 회유책 : 무역소 설치, 귀순자에게 관직 및 토지 하사

4군 6진

3) 일본(교린 정책)

　　① 강경책 : 세종 때 쓰시마 섬 토벌(이종무)

　　② 회유책 : 3포(부산포, 염포, 제포)를 개항하여 제한적인 무역 허용

4) 기타 : 류큐(오키나와), 동남아시아의 여러 나라(시암, 자와)와 교역

(3) 통치 체제의 정비

1) 중앙 정치 제도

　　① 의정부 : 국정 총괄, 3정승의 합의에 의해 국가의 중요 정책을 결정

　　② 6조 : 이·호·예·병·형·공조 → 국가의 행정 실무를 나누어 담당

　　③ 삼사 : 언론 기능 담당, 권력의 독점과 부정 방지

　　　· 사헌부 : 관리 감찰

　　　· 사간원 : 왕이 올바른 정치를 하도록 간언

　　　· 홍문관 : 왕의 정책 자문, 경연 담당

　　④ 승정원(왕명 출납), 의금부(반역 등 나라의 큰 죄인 조사) → 왕권 강화 기능

　　⑤ 춘추관(역사책 편찬과 보관), 한성부(한양의 행정과 치안 담당), 성균관(최고 교육
　　　기관)

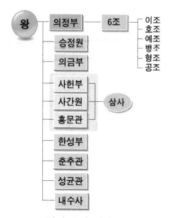

조선의 중앙 정치 기구

조선의 지방 행정(8도)

2) 지방 행정 제도

　　① 체제 : 8도(관찰사) – 부·목·군·현 설치

　　② 특징 : 모든 군·현에 지방관(수령) 파견 → 속현 소멸, 중앙 집권 체제 강화

　　③ 유향소(향청) : 지방 양반의 자치 기구 → 수령 보좌, 향리 감찰, 백성 교화

3) 군사 제도

　　① 군역 대상 : 16세 ~ 60세의 모든 양인 남자

　　② 중앙군 : 5위 설치 → 궁궐 경비, 수도 방어

③ 지방군
  · 병마절도사와 수군절도사 파견 → 육군과 수군 통솔
  · 잡색군(예비군) : 군역에서 면제된 사람들로 편성 → 유사시에 대비

4) 교통과 통신 제도
  ① 조운 제도
    · 지방에서 거둔 세곡을 서울의 경창까지 운반
    · 잉류 지역 : 평안도 · 함경도 → 현지의 국방비와 사신 접대비로 사용
  ② 역원 제도
    · 역 : 마패를 소지한 공무 여행자에게 역마 제공
    · 원 : 관리나 여행자에게 숙박 제공
  ③ 봉수 제도 : 국경 지대에서 발생한 위급 상황을 중앙에 신속히 전달

5) 토지 제도
  ① 과전법
    · 신진 사대부의 경제적 기반 마련이 목적
    · 경기 지방에 한하여 전 · 현직 관리에게 토지의 수조권 지급
  ② 직전법(세조) : 토지 부족으로 현직 관리에게만 토지의 수조권 지급
  ③ 관수관급제(성종)
    · 조세를 국가에서 직접 걷어서 관리에게 지급
    · 국가의 토지 지배권 강화

2 조선 전기의 사회와 문화

(1) 양반 사회의 성립

1) 신분 구조
  ① 양반
    · 본래 문반과 무반을 합쳐 부르던 말 → 점차 문 · 무반 관리의 가족과 가문까지 확대
    · 조선 시대의 지배층 → 각종 특권 소유
  ② 중인
    · 양반층을 보조하는 중간 지배 계층 → 좁은 의미로는 기술관
    · 하급 관리, 기술관, 향리, 서얼 등 직역 세습
  ③ 상민(평민, 양민)
    · 백성의 대부분 차지 → 농민, 수공업자, 상인 등
    · 국가에 조세, 공납, 역 부담
    · 법적으로 과거 응시 가능 → 현실적으로는 불가능

④ 천민
　　· 노비가 대부분 차지, 백정, 무당, 광대 등으로 구성
　　· 노비 : 신분 세습, 매매, 증여, 상속이 가능함
2) 관리 등용 제도
① 과거제 : 양인 이상이면 응시 가능
　　· 문과 : 문관 선발
　　· 무과 : 무관 선발
　　· 잡과 : 기술관 선발, 주로 중인층 응시
② 음서와 천거 : 관직 진출 가능, 고려 시대에 비해 혜택을 받는 대상 축소
③ 상피제 : 관리를 출신 지역에 임명하지 않음
3) 교육 제도
① 서당 : 초보적인 유학 지식 교육
② 4부 학당(서울)과 향교(지방) : 중등 교육 담당
③ 성균관 : 높은 수준의 유학 교육, 최고 교육 기관
④ 기술 교육 : 해당 관청에서 교육

(2) 민족 문화의 발전
1) 편찬 사업의 추진
① 역사서 :「고려사」,「고려사절요」,「동국통감」,「조선왕조실록」
② 의례서 :「삼강행실도」,「국조오례의」
③ 지리서·지도 :「팔도지리지」,「동국여지승람」,「혼일강리역대국도지도」
④ 법전 : 성종 때「경국대전」완성
⑤ 의학 :「향약집성방」,「의방유취」
2) 훈민정음 창제(1443)
① 창제 : 세종과 집현전 학자들에 의해 창제
② 특징 : 과학적이고 독창적인 28자의 표음 문자
③ 의의 : 민족 고유의 문자 → 민족 문화 발달의 바탕
3) 예술의 발달
① 도자기 : 분청사기 → 백자 유행(16세기)
② 회화 :〈몽유도원도〉(안견),〈고사관수도〉(강희안), 산수화·사군자화 유행

몽유도원도

고사관수도

분청사기

백자

4) 과학 기술의 발달

① 천문학과 역법

· 천문학 : 천상열차분야지도(천문도), 앙부일구(해시계), 자격루(물시계)

· 역법 : 칠정산 – 한양을 기준으로 천체의 움직임을 정확히 계산한 역법서

② 금속활자 인쇄술 : 계미자, 갑인자

5) 농업 기술의 발달 : 측우기(농사에 필요한 강우량 측정), 인지의(토지의 높낮이 측정),
「농사직설」(우리 실정에 맞게 농법을 정리)

앙부일구

측우기

3 사림의 성장과 성리학적 사회 질서의 확립

(1) 사림의 성장

1) 훈구와 사림

① 훈구 : 세조의 즉위를 도운 공신들로 형성, 중앙 집권 체제 추구

② 사림 : 온건파 사대부의 제자들로 형성, 향촌 자치, 왕도 정치 추구

2) 성장

① 성종이 훈구 세력 견제를 위해 김종직을 비롯한 사림 등용

② 3사에 진출 → 훈구 세력의 독점과 비리 비판

3) 사화의 발생

① 사화 : 훈구 세력과 사림 세력의 대립 속에서 사림 세력이 피해를 입은 사건

② 무오사화 : 김종직의 조의제문이 발단

③ 갑자사화 : 폐비 윤씨 사건이 발단

④ 기묘사화 : 조광조의 개혁 정치 → 현량과 실시, 소격서 폐지, 위훈 삭제

⑤ 을사사화 : 왕의 외척 간의 권력 다툼 발생

4) 사화의 결과

① 네 차례의 사화로 사림 세력이 큰 피해 입음

② 향촌의 서원과 향약, 유향소를 기반으로 사림 세력은 꾸준히 성장

(2) 붕당의 출현

1) **붕당의 형성** : 이조 전랑의 임명 문제를 놓고 사림 간 갈등 심화

→ 서인과 동인으로 나뉨

2) **동인** : 신진 사림 중심, 영남학파(이황, 조식의 학문 계승)

3) **서인** : 기성 사림 중심, 기호학파(이이, 성혼의 학문 계승)

(3) 성리학적 사회 질서의 확산

1) 서원의 발달

① 기능 : 지방 사립 교육 기관(선현 제사, 지방 양반 자제 교육, 성리학 연구)

② 최초의 서원 : 주세붕의 백운동 서원 → 최초의 사액 서원으로 지정, 소수서원

2) 향약의 발달

① 전통적 향촌 규약에 삼강오륜의 윤리를 가미한 향촌 사회의 규약

② 덕업상권(좋은 일은 서로 권장), 과실상규(나쁜 일은 규제), 예속상교(유교적 풍속을 서로 지킴), 환난상휼(어려운 일은 서로 협력)

3) 성리학의 발달

① 이황 : 「성학십도」 저술, 일본 성리학 발달에 영향을 줌

② 이이 : 「성학집요」 저술, 현실적 · 개혁적 경향이 강함

③ 성리학적 질서의 확산

· 배경 : 16세기 이후 사림이 서원과 향약을 중심으로 향촌 사회 주도

· 국가 : 삼강오륜 보급

· 사림 : 서원 건립, 향약 운영, 「소학」 보급

· 양반 : 가묘 건립, 족보 편찬 → 양반의 신분적 우위 강조

④ 신분 질서 강화 : 명분론 중시 – 신분 구별의 정당화, 임금과 신하, 남자와 여자, 적자와 서얼이 각자의 역할에 충실할 것을 강조

4 왜란과 호란의 극복

(1) 일본의 침략과 극복

1) 임진왜란 이전의 상황

① 조선 : 양반 사회의 분열, 군역 제도의 문란 → 국방력 약화

② 일본 : 도요토미 히데요시가 전국 시대 통일

2) 임진왜란 발발(1592)

① 배경 : 3포 왜란과 을묘왜변 등 조선과 일본의 갈등 심화, 도요토미 히데요시의 대외 침략 욕구

② 왜군의 침략 : 전쟁 초기 관군의 잇따른 패배, 명에 지원군 요청, 선조의 의주 피란

③ 수군과 의병의 활약

· 이순신이 남해 제해권을 장악 → 왜군의 보급로 차단, 전라도 곡창 지대 보호

· 의병의 활약 : 곽재우, 조헌, 휴정(서산대사), 유정(사명대사) → 익숙한 지형을 활용한 전술로 왜군에 큰 타격을 줌

④ 전란의 극복

· 조 · 명 연합군의 평양성 탈환 → 왜군의 휴전 제의

· 정유재란(1597) : 휴전 협상 실패, 왜군의 재공격 → 이순신의 명량 대첩 승리 → 도요토미 히데요시 사망 후 왜군 철수 → 이순신의 노량 해전 승리

⑤ 왜란의 영향
· 조선 : 국토의 황폐화, 인구 감소, 신분제 동요, 문화재 손실(경복궁, 불국사, 사고)
· 일본 : 도쿠가와 이에야스가 에도 막부 수립, 문화 발전(도자기, 성리학)
· 중국 : 명의 국력 약화, 여진족 성장(후금 건국)
⑥ 통신사의 파견
· 국교 재개 : 유정(사명대사)을 대표로 파견하여 조선인 포로를 데려옴 → 국교 재개
· 통신사 파견 : 조선의 선진 문화와 기술 전파

(2) 광해군의 중립 외교

1) 광해군의 중립 외교 정책 : 후금의 명 침략 → 명이 조선에 지원군 요청 → 명과 후금 사이에 중립 외교 추진(강홍립 – 출병 후 후금에 투항) → 후금과의 전쟁을 피함

2) 인조반정(1623)
① 배경 : 광해군의 중립 외교 정책, 영창대군 살해와 인목대비 폐위 등을 비판
② 과정 : 서인이 인조반정을 일으킴 → 광해군 폐위, 인조 즉위

(3) 청의 침략과 북벌 운동

1) 정묘호란(1627)
① 배경 : 친명배금 정책 추진, 이괄의 난
② 전개 : 후금의 침략 → 형제 관계를 맺는 화의 체결, 후금 철수

2) 병자호란(1636)
① 배경 : 후금의 성장 → 국호를 '청'으로 바꾸고 군신 관계 요구 → 조선 정부의 거절
② 전개 : 청 태종의 침입 → 인조의 남한산성 피신과 항전 → 삼전도에서 굴욕적인 강화 → 청과 군신관계 체결

3) 북벌 운동
① 배경 : 청에 대한 적개심과 복수심 고조 → 북벌론 대두
② 전개 : 효종과 송시열, 이완 등을 중심으로 북벌 준비 → 산성 수축, 군대 양성
③ 결과 : 효종의 죽음과 청의 강력한 군사력 유지로 실행하지 못함

4) 북학 운동 : 18세기 후반, 청의 발달한 문화를 수용하자는 주장 대두

5) 나선 정벌
① 배경 : 러시아와 청의 충돌 → 청이 조선에 원병 요청
② 전개 : 조선이 두 차례 조총 부대 파견, 큰 성과를 거둠

06 조선 사회의 변동

1 제도 개혁과 조선 후기의 정치 변화

(1) 통치 체제의 개편

1) 비변사 기능 강화

① 임진왜란과 병자호란 이후 국정을 총괄하는 최고 기구로 변화

② 결과 : 의정부와 6조 기능 축소, 왕권 약화

2) 군사 제도 개편

① 중앙군 : 5군영 – 훈련도감(삼수병), 어영청, 총융청, 수어청, 금위영

② 지방군 : 속오군 – 양반부터 천민까지 포함, 평상시 생업에 종사하다가 유사시 전투에 동원

3) 조세 제도 개혁

① 영정법 : 풍흉에 관계없이 1결당 쌀 4두 징수

② 대동법

· 배경 : 방납의 폐단 발생

· 토지 결수를 기준으로 쌀(1결당 12두), 옷감, 동전 등 징수

· 공인 등장 : 국가에 필요한 물품 구입

③ 균역법

· 1년에 군포 2필에서 1필로 징수

· 부족한 재정을 결작(1결당 2두), 어염세, 선박세 등을 징수하여 보충

(2) 붕당 정치의 변화와 세도 정치의 전개

1) 붕당 정치의 변질

① 초기 : 붕당 간의 견제와 비판 용인 → 건전한 정치 형성

② 붕당 정치의 변질

· 예송 발생 : 학문적 논쟁 → 정치적 대립

· 환국(숙종) : 여러 차례 환국 발생 → 상대 붕당의 존재 부정 → 일당전제화

2) 탕평 정치의 시행

　① 영조의 탕평 정치

　　·탕평책 : 각 붕당의 인재를 고르게 등용, 탕평파 육성, 탕평비 건립, 이조전랑의 권한 약화 → 붕당 간 대립 완화, 왕권 강화

　　·개혁 정치 : 균역법 시행, 지나친 형벌 금지, 신문고 부활, 속대전 편찬

　② 정조의 탕평 정치

　　·적극적인 탕평 정치 실시, 규장각 설치(왕실 도서관, 학문 연구), 장용영(친위 부대) 설치, 화성 축조(정약용의 거중기 사용)

　　·서얼과 노비에 대한 차별 완화, 금난전권 폐지, 대전통편 편찬

화성

3) 세도 정치의 전개

　① 등장 : 순조, 헌종, 철종의 3대 60여 년간 → 특정 외척 가문이 권력을 독점

　② 영향

　　·왕권 약화 · 정치 기강 문란 : 매관매직 성행, 과거 시험 부정, 관리 부정부패 증가

　　·삼정의 문란 : 전정, 군정, 환곡(고리대)의 문란 → 탐관오리의 세금 수탈 증가

　③ 홍경래의 난(1811) : 평안도 지역(서북 지방)에 대한 차별 대우, 세도 정치 모순에 대한 반발 → 정주성 싸움에서 패배

　④ 진주(임술) 농민 봉기(1862) : 몰락 양반 유계춘 중심 → 전국으로 확산

　⑤ 정부의 대책 : 암행어사 파견, 삼정이정청 설치 → 큰 성과를 거두지 못함

② 사회 · 경제 변화와 사회 개혁론의 등장

(1) 조선 후기의 경제 변화

1) 농업 생산력 증대

　① 모내기법의 전국적 보급 → 벼와 보리의 이모작 가능

　② 농민층의 분화 : 광작, 상품 작물(담배, 인삼 등) 재배 → 일부 농민이 부농으로 성장

2) **수공업**

　① 대동법 시행으로 상품의 수요 증대

　② 민영 수공업 발달 : 선대제 수공업 → 독립 수공업

3) **광업**

　① 수공업의 발달과 청ㆍ일본과의 무역 증가 → 금ㆍ은 수요 증가

　② 민간 채굴 허용, 잠채 성행

4) **상업**

　① 농업 생산력 증대, 대동법 실시로 공인 활동 증가 → 상업 발달

　② 장시 발달 : 보부상 활동

　③ 사상 성장 : 송상(개성), 경강상인(선상), 만상, 내상

　④ 대외 무역 발달(청, 일본)

　　ㆍ개시 : 공적인 무역

　　ㆍ후시 : 정부의 통제를 받지 않는 사무역

5) **화폐 유통** : 상평통보(엽전)의 전국적 사용

(2) **조선 후기의 사회 변화**

1) **신분제 동요**

　① 원인 : 납속책 실시, 공명첩 발급, 족보 매입 및 위조 증가, 군공, 도망

　② 결과 : 양반 수 증가, 상민과 노비 수 감소 → 양반 중심의 신분제 동요

2) **신분제 변화**

　① 양반 : 권반, 향반, 잔반(몰락 양반)으로 분화

　② 중인 : 중인과 서얼의 신분 상승 운동 전개

　③ 상민 : 납속책, 공명첩을 이용한 신분 상승 → 상민의 수 감소

　④ 노비 : 노비종모법 실시, 공노비 해방 → 노비의 수 감소

(3) **사회 개혁론의 등장**

1) **실학의 대두**

　① 조선 후기 사회ㆍ경제적 변화에 따른 사회 모순의 심화

　　→ 성리학의 사회 문제 해결 능력 부족, 사회 개혁론 등장

　② 실학 : 정치, 경제, 사회의 현실을 개혁하기 위한 방안 제시

2) **중농 학파** : 농업 중심의 개혁론

　① 주장 : 토지 제도 개혁, 농민 생활 안정

② 대표 학자
　　·유형원 : 균전론(신분에 따라 토지를 차능있게 분배), 「반계수록」
　　·이익 : 한전론(영업전의 매매 금지), 「성호사설」
　　·정약용 : 여전론(공동 소유, 공동 경작), 「목민심서」, 「경세유표」
3) **중상 학파** : 상공업 중심의 개혁론
① 주장 : 청의 문물 수용(북학파), 기술 혁신을 통한 부국강병
② 대표 학자
　　·유수원 : 사농공상의 직업적 평등 강조
　　·홍대용 : 서양의 과학 기술 수용, 중국 중심 세계관에서 벗어날 것을 주장
　　·박지원 : 수레와 선박의 이용, 화폐 사용 강조, 「열하일기」, 「양반전」, 「허생전」
　　·박제가 : 수레와 선박의 이용, 소비 권장(우물에 비유), 「북학의」
4) **의의 및 한계**
① 의의 : 실용적, 실증적, 근대 지향적 성격
② 한계 : 국가 정책에 반영되지 못함

3 조선 후기의 문화

(1) 학문의 발달

1) **양명학 수용**

① 이론적 · 형식적인 성리학 비판, 지행합일, 실천성 강조
② 정제두의 강화 학파 형성

2) **국학 연구**

① 배경 : 실학자들이 우리 문화에 대한 자부심과 현실에 대한 관심을 가짐
② 역사
　　·「동사강목」(안정복) : 고조선 ~ 고려 말까지의 역사 정리
　　·「동사」(이종휘) : 고구려 역사 정리
　　·「발해고」(유득공) : 발해사를 우리 역사로 체계화할 것을 강조
③ 지리
　　·「택리지」(이중환) : 인문 지리서
　　·「동국지도」(정상기), 「대동여지도」(김정호)
④ 국어 : 「훈민정음운해」(신경준), 「언문지」(유희)
⑤ 백과사전적 저술 : 「지봉유설」(이수광), 「성호사설」(이익)

(2) 문화와 예술의 새 경향

1) 서민 문화의 발달

① 배경 : 상공업의 발달, 농업 생산력 향상, 서당 교육 확대 → 서민 의식의 성장

② 특징 : 서민들의 감정을 솔직하게 표현, 양반들의 위선과 사회 모순을 풍자

③ 내용 : 한글소설(「홍길동전」, 「춘향전」), 사설시조, 판소리, 탈춤, 민화

2) 새로운 예술의 경향

① 회화

· 진경 산수화 : 정선, 우리 자연의 모습을 사실적으로 표현, 「인왕제색도」, 「금강전도」

· 풍속화 – 김홍도 「씨름도」, 「무동」, 「서당도」, 일상생활을 소탈하고 익살스럽게 표현

– 신윤복 「단오풍정」, 「미인도」, 양반의 풍류와 부녀자들의 생활을 묘사

씨름도

· 민화 : 작자 미상, 민중의 미적 감각 표현, 해 · 달 · 꽃 · 동물 등

② 서예 : 김정희의 추사체

③ 도자기 : 백자 → 청화백자

④ 건축 : 불교 건축물(법주사 팔상전, 화엄사 각황전), 화성(정약용, 거중기)

서당도

인왕제색도

단오풍정

민화

(3) 과학 기술의 발달

1) 서양 문물의 수용

① 서양 문물 유입 : 곤여만국전도(세계지도), 천리경, 자명종

② 지전설 주장 : 김석문과 홍대용이 지구가 자전한다는 사실(지전설)을 논리적으로 설명

③ 시헌력(서양식 역법) 도입 : 김육의 건의

2) 농업과 의학의 발달

① 농서 : 「농가집성」(신속)

② 의학서 : 「동의보감」(허준), 「동의수세보원」(이제마, 사상의학)

4 사회 변혁의 움직임

(1) 사회 불안과 새로운 종교의 유행

1) 예언 사상 대두

① 배경 : 세도 정치로 인한 정치·경제·사회 질서의 문란, 이양선 출몰, 자연재해와 전염병 → 사회 불안 심화

② 정감록, 미륵 신앙, 무격 신앙 유행

2) 천주교와 동학의 전파

① 천주교

· 전래 : 17세기 중국을 왕래하는 사신들에 의해 서학으로 소개 → 점차 신앙으로 수용

· 내용 : 제사 거부, 평등 사상, 내세 신앙 → 정부의 탄압(1801, 신유박해)

② 동학

· 창시 : 1860년 경주의 몰락 양반 최제우가 창시

· 내용 : 유교·불교·도교를 바탕으로 민간 신앙의 요소 융합, 인내천(사람이 곧 하늘), 보국안민, 제폭구민 → 정부의 탄압

· 확산 : 「동경대전」, 「용담유사」(최시형), 교단 재정비 → 삼남 지방으로 확산

07 근대 국가 수립 운동과 국권 수호 운동

1 흥선대원군의 집권 및 문호 개방

(1) 흥선대원군의 내정 개혁

1) 정치 질서 회복 : 안동 김씨 세력 축출, 고른 인재 등용, 비변사 기능 축소, 대전회통 편찬

2) 삼정의 문란 해결 : 양전 실시, 호포제 실시(양반에게도 군포 부과), 환곡을 사창제로 개혁

3) 서원 정리 : 47곳만 남기고 철폐 → 양반 유생층 반발

4) 경복궁 중건 : 원납전 징수, 당백전 발행

당백전

(2) 흥선대원군의 통상 수교 거부

1) 병인양요(1866)

① 배경 : 병인박해를 구실로 프랑스가 강화도에 침입

② 전개 : 양헌수 부대(정족산성), 한성근 부대(문수산성)의 항전

③ 결과 : 프랑스군의 퇴각, 외규장각 도서 약탈

2) 오페르트 도굴 사건 : 독일 상인 오페르트 일행이 남연군의 묘를 도굴하려다 실패

3) 신미양요(1871)

① 배경 : 제너럴 셔먼 호 사건을 구실로 미국이 강화도에 침입

② 전개 : 어재연(광성보)의 항전 → 미군 철수

③ 결과 : 미군 철수, 척화비 건립(서양과의 통상 수교 거부 재확인)

(3) 문호 개방

1) 강화도 조약의 체결(1876)

① 배경

· 흥선대원군 하야, 고종의 직접 정치 → 통상 수교 거부 정책 완화

· 통상 개화론의 대두 : 박규수, 오경석 등

· 운요호 사건 발생(일본)

② 내용
- 조선이 자주국임을 명시 → 청에 대한 송주권 배제
- 3개 항구 개항 : 부산, 원산, 인천
- 일본에게 치외법권 및 해안 측량권 허용 → 불평등 조약
③ 성격 : 조선이 외국과 맺은 최초의 근대적 조약, 불평등 조약
2) **서양 여러 나라와 수교** : 미국과의 수교 – 조·미 수호 통상 조약(치외법권, 최혜국대우)

2 근대적 개혁의 추진과 동학 농민 운동의 전개

(1) 개화 정책의 추진과 반발

1) **정부의 개화 정책**
① 사절단 파견 : 일본에 수신사, 조사 시찰단, 청나라에 영선사, 미국에 보빙사 파견
② 통리기무아문 설치 : 개화 정책 담당
③ 근대 기구 창설 : 별기군 조직(신식 군대, 일본인 교관이 훈련), 박문국(출판),
기기창(무기 공장) 등 설립

별기군

2) **위정척사 운동** : 성리학을 지키고, 성리학 이외의 것은 배격 → 양반 유생층 주도
→ 반외세·반침략 민족 운동, 항일 의병 운동으로 계승

(2) 임오군란과 갑신정변

1) **임오군란(1882)**
① 발단 : 구식 군인들에 대한 차별 대우
② 경과 : 구식 군인들의 봉기 → 정부 고관과 일본인 교관 살해, 일본 공사관 습격
→ 흥선대원군의 일시 재집권 → 청군의 진압
③ 결과
- 청 : 내정 간섭 심화, 청 군대 주둔, 고문 파견, 조·청 상민 수륙 무역 장정
- 일본 : 제물포 조약 체결

2) 갑신정변(1884)

① 배경

· 정부의 소극적인 개화 정책에 대한 급진 개화파의 불만

· 청군의 일부 철수, 일본의 지원 약속 등을 기회로 정변 추진

② 중심 인물 : 김옥균, 박영효, 서광범, 홍영식 등

③ 경과 : 우정국 개국 축하연을 이용하여 정변 일으킴 → 14개조 정강 발표 → 청군의 개입으로 3일 만에 실패(3일 천하)

④ 결과 : 청의 내정 간섭 심화, 한성조약과 톈진조약 체결

⑤ 의의 : 근대 국가 건설을 위한 최초의 정치 개혁 운동 → 입헌 군주제 수립, 신분제 폐지 주장

(3) 동학 농민 운동의 전개

1) **방곡령 선포** : 일본으로 곡물 유출 심화 → 백성들의 생활이 어려움 → 방곡령 선포 → 철회, 일본에 배상금 지불

2) **동학 농민 운동(1894)**

① 동학의 교세 확장 : 교조 신원 운동, 동학 박해 중지 요구, 외세 배척 주장

② 고부 농민 봉기 : 고부 군수 조병갑의 수탈 → 전봉준을 비롯한 농민들이 고부 관아 습격

③ 1차 봉기 : 백산 봉기(보국안민, 제폭구민 주장) → 황토현 전투에서 농민군 승리 → 전주성 점령 → 청 · 일 군대 파병 → 전주 화약 체결

④ 전주 화약 체결

· 폐정 개혁안 제시 : 신분제 폐지, 토지의 평균적인 분작 요구

· 집강소 설치 : 농민 자치 기구

⑤ 2차 봉기 : 일본의 경복궁 습격, 청일 전쟁 발발

→ 일본군 축출을 위해 동학 농민군 재봉기 → 공주 우금치 전투에서 패배

⑥ 의의 : 반봉건 · 반침략 운동 → 갑오개혁에 영향, 항일 의병 운동으로 연결

(4) 근대적 개혁의 추진

1) **갑오개혁(1894)**

① 정치 : 국정 사무와 왕실 사무 분리, 과거제 폐지

② 경제 : 재정의 일원화(탁지아문), 조세의 금납화, 도량형 통일

③ 사회 : 신분제 폐지, 과부의 재가 허용, 조혼 금지

2) 을미개혁의 추진

① 을미사변(1895) : 삼국간섭으로 일본의 영향력 약화 → 조선의 친러 정책에 위협을 느낀 일본이 경복궁을 습격 → 명성황후 시해

② 을미개혁(1895)
- 일본의 친일 내각(김홍집 내각) 구성
- 내용 : 태양력 사용, 종두법 실시, 단발령 실시, '건양' 연호 사용

③ 을미의병(1895) : 을미사변과 단발령 실시에 대한 반발 → 유인석, 이소응 등

④ 아관파천(1896) : 고종이 러시아 공사관으로 피신 → 친러세력 성장, 열강의 이권 침탈 극심

3 독립협회와 대한제국

(1) 독립협회

1) **조직** : 서재필 등 개화파 지식인

2) **목표** : 자주 국권, 자유 민권, 자강 개혁 → 독립문 건립, 토론회 등을 통한 민중 계몽

3) **활동**
① 독립신문 발행, 독립문 건립
② 토론회, 연설회 개최 ‥ 민민공농회, 관민 공농회 개최(헌의 6조 결의)
③ 이권 수호 운동 전개
④ 의회 설립 운동 전개

4) **해산과 의의**
① 해산 : 대한 제국 정부가 황국협회와 군대를 동원하여 강제 해산
② 의의 : 열강의 이권 침탈 저지, 민중 계몽을 통한 근대화 운동 전개

(2) 대한제국의 성립

1) **배경** : 국민들의 자주 독립 의식 고조, 고종의 환궁 요구

2) **대한제국 수립(1897)** : 국호를 '대한제국'으로 변경, 연호를 '광무'로 함
→ 대한국 국제 반포

3) **광무개혁**
① 목표 : 전제 황제권 강화, 구본신참 표방
② 내용
- 정치 : 궁내부를 확대하여 황제권 강화
- 군사 : 원수부를 설치하여 황제가 군대 통솔

· 경제 : 양전사업 → 지계 발급

· 교육 : 외국에 유학생 파견, 각종 학교 설립

(3) 근대 문물의 수용

1) 근대 문물의 도입

① 통신 : 전신, 전화, 우편 시설(우정총국) 설치

② 교통 : 전차 운행(서울), 경인선, 경부선 철도 부설

③ 의료 : 광혜원(제중원) 등 근대식 의료 기관 설립

2) 근대 교육의 실시

① 원산학사(1883) : 함경도 덕원, 최초의 근대적 사립 학교

② 육영공원(1886) : 최초의 근대적 관립 학교

③ 배재학당, 이화학당 : 개신교 선교사가 설립

④ 교육입국조서(1895) 발표 : 각종 관립 학교 설립

3) 국학 연구

① 국사 : 신채호 「독사신론」, 「이순신전」, 「을지문덕전」 → 민족의식 고취

② 국어 : 국한문 혼용체 보급, 국문 연구소 설립, 주시경, 지석영 등이 연구

4) 연극 : 원각사(최초의 서양식 극장)

4 일제의 국권 침탈과 국권 수호 운동

(1) 일제의 국권 침탈 과정

1) 을사조약(을사늑약) 체결(1905)

① 내용 : 대한제국의 외교권 박탈, 통감부 설치

② 을사조약(을사늑약) 반대 투쟁 전개

· 나철 · 오기호 등이 오적 암살단 조직

· 전명운 · 장인환의 스티븐스 사살

· 안중근의 이토 히로부미 사살

· '시일야방성대곡'(장지연, 황성신문) 발표

· 을사 의병

③ 헤이그 특사 파견(1907) : 헤이그 만국 평화 회의에 특사 파견 → 고종의 강제 퇴위

2) 한일 신협약(정미 7조약)(1907) 체결 : 일본인 차관 배치, 군대 해산 → 정미 의병

3) 한국 병합조약 체결(1910) : 일본에게 국권 강탈

(2) 항일 의병 운동 전개

1) 을미의병(1895)

① 배경 : 을미사변과 단발령에 반발

② 전개 : 양반 유생층(유인석, 이소응)이 주도, 동학 농민군 잔여 세력

③ 해산 : 고종의 단발령 철회 및 해산 권고 조칙에 따라 활동 중단

2) 을사의병(1905)

① 배경 : 을사조약(을사늑약) 체결에 반발

② 전개 : 다양한 계층이 참여, 평민 의병장 활약(신돌석)

3) 정미의병(1907)

① 배경 : 고종의 강제 퇴위와 군대 해산에 반발

② 전개 : 의병 전쟁으로 발전, 13도 창의군 결성, 서울 진공 작전 계획 → 실패

4) 결과 : 일제의 남한 대토벌 작전 전개 → 간도나 연해주로 이동

(3) 애국 계몽 운동의 전개

1) 보안회 : 일제의 황무지 개간권 요구를 철회시킴

2) 대한 자강회 : 헌정 연구회 계승, 고종의 강제 퇴위 반대 운동 전개

3) 신민회(1907) : 안창호, 양기탁 등이 비밀 단체로 조직

① 목표 · 공화정을 바탕으로 국민 국가 건설

② 활동 : 대성학교, 오산학교 설립, 자기 회사, 태극 서관 운영, 만주 삼원보에 독립 운동 기지 건설, 신흥 강습소(독립군 양성)

③ 해체 : 105인 사건으로 해산(1911)

(4) 국채 보상 운동 전개(1907)

1) 배경 : 일제가 대한제국에 차관 도입 강요, 일본에 1,300만원의 빚을 짐

2) 전개

① 대구에서 시작 → 전국으로 확산

② 금주, 금연을 통한 모금, 비녀와 반지 등을 성금으로 기탁

(5) 간도와 독도

1) 간도

① 조선 숙종 때, 백두산정계비 세움

② 간도를 함경도의 행정구역으로 편입하고 간도 관리사 파견

③ 간도 협약 체결(1909) : 일본이 철도 부설권, 탄광 채굴권을 얻는 대가로 간도를 청의 영토로 인정

2) 독도

① 삼국 시대 이래 우리나라 영토

② 조선 숙종 때, 안용복이 일본에 건너가 우리 영토임을 확인시킴

③ 러일 전쟁 중, 일본이 독도를 시마네현에 불법 편입시킴

④ 광복 이후, 우리나라 영토로 되찾음

08 민족 운동의 전개

1 일제의 식민지 지배 정책

(1) 무단 통치(헌병 경찰 통치)와 토지 조사 사업 실시

1) **무단 통치(헌병 경찰 통치)** : 1910년대 통치 방식

① 조선 총독부 설치

② 헌병 경찰 통치

· 헌병 경찰 : 즉결처분권(벌금, 태형 등의 처벌 가능)

· 민족 운동 탄압 : 언론 · 출판 · 집회 · 결사의 자유 박탈

· 관리는 물론 교원에게도 제복을 입히고 칼을 차게 함

· 교육 기회 제한 : 일본어 중심 교과목 편성, 초보적인 실업 기술만 교육

2) **토지 조사 사업 실시** : 1910년대 경제 수탈 정책

① 목적 : 식민 통치에 필요한 기초 자료와 재정 확보

② 조사 방법 : 도지 수인이 자신의 토지를 정해진 기간에 신고 → 미신고 토지는 전부 몰수

③ 결과

· 조선 총독부의 토지 소유 확대 : 미신고 토지, 문중 토지, 마을 공유지, 왕실 및 공공기관 소속의 토지 등 몰수 → 전 국토의 40%가 총독부의 소유

3) **산업 침탈**

① 회사령 공포 : 회사 설립의 총독 허가제 → 한국인의 기업 활동 · 민족 자본 성장 억제

② 각종 자원 약탈 : 산림령, 어업령, 광업령, 임야 조사령 발표

(2) 민족 분열 통치(문화 통치)와 산미 증식 계획

1) **민족 분열 통치(문화 통치)** : 1920년대 통치 방식

① 실상 : 친일파를 길러 우리 민족을 이간, 분열시키려는 교활한 정책

② 내용

문화 통치의 내용	문화 통치의 실상
헌병 경찰제도 폐지, 보통 경찰제도 실시	경찰 인원 증가, 치안유지법 제정 → 감시와 탄압 강화
조선 총독에 문관 임명 가능	실제 임명된 문관 출신 총독은 없음
언론 · 출판 · 집회 · 결사의 자유 부분적 허용	언론 검열 → 신문 기사 삭제 또는 정간
교육 기회 확대 약속	대학 교육 및 전문 교육의 기회 제한

2) **산미 증식 계획** : 1920년대 경제 수탈 정책

　① 배경 : 일본의 공업 발달, 도시 인구의 급증으로 식량 문제 발생

　② 방법 : 품종 개량, 수리 시설 확충 등으로 쌀을 증산하여 일본으로 가져감

　③ 결과 : 증산량보다 많은 쌀을 일본으로 유출 → 국내 식량 사정 악화 → 만주에서
　　 잡곡을 수입하여 보충, 농민 몰락

(3) 민족 말살 통치와 병참 기지화 정책

1) **민족 말살 통치** : 1930년대 이후 통치 방식

　① 배경 : 일제의 침략 전쟁 확대 → 중 · 일 전쟁(1937)과 태평양 전쟁(1941)을 일으킴

　② 목적 : 한국인의 민족정신을 말살하여 일본의 침략 전쟁에 동원

　③ 황국 신민화 정책의 추진

　　 · 일선 동조론, 내선 일체

　　 · 황국 신민 서사 암송 강요, 일본 신사 참배 강요, 일본식 성과 이름 사용 강요

　　 · 우리말 사용과 우리 역사 교육 금지, 한글 신문과 잡지 폐간

　　 · 소학교의 명칭을 국민학교로 개칭

2) **병참 기지화 정책** : 1930년대 이후 경제 수탈 정책

　① 목적 : 우리나라를 일본이 필요로 하는 전쟁 물자를 공급하는 병참 기지로 만드는
　　 것 → 전쟁에 필요한 물적 · 인적 자원 수탈

　② 내용 : 한반도에 군수 공장 건설, 지하자원의 생산 증가

3) **인적 · 물적 자원의 수탈**

　① 국가 총동원법 제정(1938)

　② 인적 자원 수탈 : 지원병제, 징병제, 국민징용령, 여자 정신 근로령, 일본군 '위안
　　 부'로 여성 강제 동원

　③ 물적 자원 수탈 : 금속 공출, 미곡 공출, 식량 배급제 실시

2 3 · 1 운동과 대한민국 임시 정부

(1) 3 · 1 운동의 전개(1919)

　1) 배경

　　① 월슨의 민족 자결주의 제창 → 파리 강화 회의에 김규식 파견(독립 청원서)

　　② 2 · 8 독립 선언(1919) : 도쿄 유학생들이 독립 선언서 발표

　2) 전개 : 민족 대표 33인이 태화관에서 독립 선언 → 학생과 시민들이 탑골 공원에서 독립 만세 시위 → 전국과 해외로 확산

　3) 일제의 무력 탄압

　　① 평화적인 만세 시위에 대해 일제가 무자비하게 총검으로 진압

　　② 유관순의 순국, 제암리 주민 학살

　4) 의의 및 영향

　　① 일제 통치 방식의 변화 : 무단 통치 → 문화 통치

　　② 대한민국 임시 정부 수립의 계기

　　③ 중국의 5 · 4 운동, 인도의 반영 운동 등에 영향

(2) 대한민국 임시 정부의 수립과 활동

　1) 계기 : 3 · 1 운동 이후 보다 조직적으로 독립 운동을 추진할 필요성 느낌

　2) 임시 정부의 통합 : 외교 활동에 유리한 상하이에 대한민국 임시 정부 수립

　3) 체제 : 삼권 분립에 입각한 민주 공화제 → 초대 대통령은 이승만

　4) 활동

　　① 연통제(비밀 행정 조직)와 교통국(비밀 통신 기관) 실시

　　② 독립운동 자금 마련 : 독립 공채 발행, 의연금 모금

　　③ 독립신문 발행 → 국내외 동포들에게 독립 운동의 소식 전파, 독립 의식 고취

　　④ 파리 강화 회의에 김규식을 파견하여 독립청원서 제출, 미국에 구미 위원부 설치

　　⑤ 한국광복군 창설(1940)

3 국내 민족 운동의 전개

(1) 실력 양성 운동

　1) 물산 장려 운동

　　① 목적 : 민족 산업 육성, 경제 자립 추구

　　② 전개 : 평양에서 조만식 등이 조선 물산 장려회 조직

③ 활동 : 일본 상품 배격, 토산품 애용, 금주·금연 등 추진
　　→ '내 살림 내 것으로', '조선 사람 조선 것으로' 등의 구호 제시

④ 결과 : 일제의 탄압과 방해로 큰 성과를 거두지 못함

2) 민립 대학 설립 운동

① 배경 : 일제가 한국인에게 보통교육과 실업교육 강요

② 목적 : 대학 설립으로 고등 교육을 실현

③ 전개 : 민립 대학 기성회 조직 → 전국적인 모금 운동 전개, '1천만 동포가 1원씩'

④ 결과 : 자연재해로 모금 운동 성과 저조, 일제의 방해 → 일제는 경성 제국 대학 설립

3) 문맹 퇴치 운동

① 목적 : 민중에 문자 보급 → 민중 계몽

② 전개

　· 문자 보급 운동 : 조선일보 주도, '아는 것이 힘, 배워야 산다.'

　· 브나로드 운동 : 동아일보 주도, 농촌 계몽 운동 전개, '배우자, 가르치자, 다 함께 브나로드'

브나로드 운동

(2) 사회 운동

1) 청년 운동 : 조선 청년 총동맹(1924) 조직

2) 소년 운동 : 방정환이 주도한 천도교 소년회 중심, 어린이날 제정, 잡지 "어린이" 발간

3) 여성 운동 : 근우회(신간회의 자매단체) 결성

4) 형평 운동 : 백정에 대한 사회적 차별 철폐, 조선 형평사(1923) 조직

5) 농민 운동과 노동 운동 : 암태도 소작 쟁의, 원산 노동자 총파업

(3) 민족 협동 전선 운동의 전개

1) 6·10 만세 운동(1926)

① 배경 : 일제의 식민지 수탈 정책과 민족 차별 교육

② 준비 : 학생층 참여, 민족주의 세력과 사회주의 세력 연대

③ 전개 : 순종의 인산일에 학생들이 만세 시위 → 일제의 탄압

2) 신간회 조직(1927)

① 조직 : 비타협적 민족주의 계열과 사회주의 계열의 연합

② 강령 : 민족의 단결, 정치적·경제적 각성 촉구, 기회주의자 배격 → 민족 유일당 운동

③ 활동 : 강연회 개최, 야학 운영, 광주 학생 항일 운동 때 진상 조사단 파견

④ 해소 : 일제의 탄압과 내부 갈등으로 해체

⑤ 의의 : 사회주의 세력과 민족주의 세력의 연합으로 결성한 최대의 민족 운동 단체

3) 광주 학생 항일 운동(1929)

① 배경 : 일제의 차별 교육, 반일 감정 고조

② 전개 : 광주에서 한·일 학생 충돌 → 대규모의 반일 학생 시위 전개 → 신간회 지원, 전국으로 확산

③ 의의 : 3·1 운동 이후 최대 규모의 민족 운동

4 국외 민족 운동의 전개(1920년대 이후)

(1) 의열단과 한인 애국단

1) 의열단 조직(1919) : 김원봉 등이 만주 지린 성에서 조직

① 김익상 : 조선 총독부에 폭탄 투척

② 김상옥 : 종로 경찰서에 폭탄 투척

③ 나석주 : 동양 척식 주식회사에 폭탄 투척

2) 한인 애국단 조직(1931) : 김구가 결성하여 의열 투쟁 전개

① 이봉창 의거(1932) : 일본 도쿄에서 일왕의 마차에 폭탄 투척 → 실패

② 윤봉길 의거(1932) : 상하이 훙커우 공원에 폭탄 투척
→ 중국 정부의 대한민국 임시 정부 지원 계기

(2) 1920년대 국외 무장 독립 투쟁

1) 봉오동 전투(1920) : 홍범도가 이끄는 대한 독립군이 일본군 격파

2) 청산리 대첩(1920) : 김좌진이 이끄는 북로 군정서군을 비롯한 여러 연합 부대가 일본군을 크게 격파

3) 독립군의 시련

봉오동 전투와 청산리 대첩

① 간도 참변(1920) : 봉오동·청산리 전투에서 참패한 일본군의 보복, 많은 한인 학살

② 자유시 참변(1921) : 독립군이 일본군을 피해 러시아 자유시로 이동 → 독립군의 해산을 요구한 러시아 적군의 공격 → 독립군이 큰 타격을 입음

(3) 국외의 무장 독립 투쟁

    1) 1930년대 초반 : 한국 독립군(지청천), 조선 혁명군(양세봉) 조직

      → 중국군과 연합 작전 전개

    2) 1930년대 후반 : 김원봉을 중심으로 조선 의용대 조직

      → 중국 국민당군과 항일 무장 투쟁 전개

(4) 대한민국 임시 정부와 한국광복군

    1) 대한민국 임시 정부의 활동 : 충칭에 정착(1940) → 한국광복군 창설 → 태평양 전쟁 때 일본에 선전 포고

    2) 한국광복군

      ① 창설 : 지청천을 총사령관으로 충칭에서 창설

      ② 활동 : 영국군과 인도 · 미얀마 전선에서 합동 작전, 국내 진입 작전 계획

(5) 건국 준비 활동

    1) 대한민국 임시 정부 : 삼균주의를 바탕으로 건국 강령 발표

    2) 조선 독립 동맹 : 중국에서 사회주의 계열이 결성, 건국 강령 발표

    3) 조선 건국 동맹 : 국내에서 여운형을 중심으로 조직, 건국 준비 활동 전개

5 민족 문화 수호 운동

(1) 국어 연구

    1) 조선어 연구회(1921) : '가갸날(한글날)' 제정, 〈한글〉 잡지 간행

    2) 조선어 학회(1931) : 한글 맞춤법 통일안 및 표준어 제정, 〈조선말 큰 사전〉 편찬 시도

      → 조선어 학회 사건(1942)으로 중단 → 강제 해산

(2) 한국사 연구

    1) 일제의 역사 왜곡 : 식민사관을 통해 우리 역사 왜곡

    2) 민족주의 사학

      ① 박은식 : 민족 혼 강조, 「한국통사」, 「한국독립운동지혈사」

      ② 신채호 : 낭가 사상 강조, 고대사 연구, 「조선상고사」, 「조선사연구초」

    3) 사회 경제 사학 : 백남운, 한국사가 세계사의 보편적인 발전 법칙에 따라 발전하였음을 강조

    4) 실증 사학 : 이병도, 손진태, 진단 학회 조직, 한국사를 실증적으로 연구

(3) 문예와 종교의 새로운 경향

　1) 문학과 예술 활동

　　① 문학 : 민족의식 고취 → 이육사, 윤동주 등이 항일 작품 서술

　　② 음악 : 안익태가 '애국가' 작곡

　　③ 미술 : 서양화 기법 도입, 전통 회화 기법 고수 움직임 지속

　　④ 영화 : 나운규의 '아리랑' 발표 → 식민지 현실의 슬픔 표현

　　⑤ 연극 : 토월회와 극예술 연구회 활동

　2) 종교계의 활동

　　① 천도교 : 3 · 1 운동 주도, 소년 운동과 농촌 계몽 운동 전개, 잡지 〈어린이〉 간행

　　② 대종교 : 단군 숭배, 만주 지역에서 교세 확장, 무장 독립 투쟁 전개

　　③ 불교 : 한용운 중심, 민족 불교의 전통을 지키려 노력함

　　④ 원불교 : 박중빈이 창시, 새생활 운동과 저축 운동을 통해 자립 정신 강조

　　⑤ 개신교 : 교육과 의료 사업 전개, 신사 참배 거부로 일제의 탄압을 받음

　　⑥ 천주교 : 고아원, 양로원 설립 등 사회 사업 전개, 민중 계몽 운동 전개

09 대한민국의 발전

■ 대한민국 정부의 수립과 6·25 전쟁

(1) 8·15 광복과 대한민국 정부의 수립

1) 8·15 광복(1945)

① 배경
- 제 2차 세계 대전에서 연합국의 승리(일본의 패전)
- 국내외에서 끈질긴 독립 투쟁의 결과

② 연합국의 독립 약속
- 카이로 회담(1943) : 연합국의 대표들이 한국의 독립을 최초로 약속
- 포츠담 선언(1945) : 카이로 회담의 결정 사항을 재확인

2) 독립 국가 건설 준비 : 조선 건국 준비 위원회(여운형과 안재홍 주도)

3) 군정의 실시와 남북 분단

① 일본군의 무장 해제를 명목으로 북위 38도선을 경계로 미군과 소련군이 분할 점령
② 군정 실시 : 38도선의 남쪽 지역과 북쪽 지역을 각각 미군과 소련군이 통치

4) 모스크바 3국 외상 회의(1945. 12)

① 내용
- 한반도에 임시 민주 정부 수립과 이를 논의하기 위한 미·소 공동 위원회 설치
- 미·영·중·소 4개국에 의한 최대 5년간 신탁 통치 실시

② 국내 반응 : 신탁 통치 반대 운동 전개 → 우익은 반탁, 좌익은 찬탁으로 변화

5) 대한민국 정부의 수립

① 제 1차 미·소 공동 위원회 결렬 → 좌우 합작 운동(여운형, 김규식) 실패 → 제 2차 미·소 공동 위원회 결렬
② 한국 문제를 유엔에 상정 → 유엔 총회에서 남북한 총선거를 통한 정부 수립 → 소련과 북한의 거부 → 유엔 소총회에서 남한에서만 총선거 실시 결정
③ 남북 협상의 추진 : 김구, 김규식 등이 통일 정부 수립을 위해 추진 → 성과를 거두지 못함
④ 단독 정부 수립 반대 운동 : 제주 4·3 사건, 여수·순천 10·19 사건
⑤ 5·10 총선거 실시(1948.5.10) → 제헌국회 구성 및 제헌 헌법 선포 → 이승만 대통령 선출 → 대한민국 정부 수립 선포(1948. 8·15)

⑥ 반민족 행위 처벌법 제정 : 반민족 행위 특별 조사 위원회를 구성하고 친일파 청산 시도 → 이승만 정부의 소극적인 태도와 친일파의 방해로 성과를 거두지 못함

⑦ 농지 개혁 : 정부가 지주의 토지를 사서 농민에게 돈을 받고 분배 → 전통적인 지주 제 소멸, 대부분의 농민이 자신의 토지를 농사짓게 됨

(2) 6 · 25 전쟁(1950)

1) **배경** : 남북한 정부 수립 이후 미군과 소련군 철수, 북한의 군사력 증강, 미국의 애치슨 선언 발표

2) **전개** : 북한군의 남침(1950.6 · 25) → 3일만에 서울 함락 → 낙동강 전선까지 후퇴 → 유엔군 파견 → 인천 상륙 작전 → 서울 수복, 압록강 유역까지 진격 → 중국군 개입 → 1 · 4 후퇴 → 38도선을 중심으로 치열한 공방전 전개 → 정전 협정 체결(1953)

3) **결과**

① 인명 피해 : 수많은 사상자와 고아, 이산가족 발생

② 재산 피해 : 국토 황폐화 및 생산 시설의 파괴

③ 남북한 간 적대 감정 고조

④ 남북한의 집권자들은 서로 상대방의 위협을 이용하여 권력 강화

2 민주주의의 시련과 발전

(1) 4 · 19 혁명(1960)

1) **이승만 정부의 장기 집권**

① 발췌 개헌(1952) : 대통령 직선제 개헌

② 사사오입 개헌(1954) : 초대 대통령에 한해 중임 제한 폐지 → 장기 집권의 토대 마련

③ 독재 체제 강화 : 국가 보안법, 진보당 사건

2) **4 · 19 혁명(1960)**

① 발단 : 자유당과 이승만 정권의 독재, 3 · 15 부정 선거(1960)

② 경과 : 학생과 시민의 마산 시위 → 김주열군 시신 발견 → 전국으로 시위 확산 → 이승만 대통령 사임, 자유당 정권 붕괴

③ 의의 : 학생과 시민 등 다양한 계층 참여, 독재 정권을 무너뜨린 최초의 민주주의 혁명

3) **장면 내각의 성립**

① 헌법 개정 : 내각 책임제 → 총선거 실시(대통령에 윤보선, 국무총리에 장면 선출)

② 장면 내각 : 경제 개발 5개년 계획 마련, 지방 자치 선거 실시

(2) 5 · 16 군사 정변과 유신 체제

1) 5 · 16 군사 정변(1961)

① 박정희를 중심으로 한 일부 군부 세력이 군사 정변을 일으켜 정권 장악

② 국가 재건 최고 회의를 구성하여 군정 실시

③ 대통령 중심제 헌법으로 개헌 → 대통령 선거에서 박정희 당선

2) 박정희 정부

① 경제 개발 5개년 계획 추진 : 성장 위주의 경제 정책을 폄

② 한 · 일 협정 체결(1965) : 한 · 일 국교 정상화 → 경제 개발 자본 마련

③ 베트남 파병 : 미국과 동맹 강화, 외화 획득

④ 장기 집권 시도 : 대통령의 3선 개헌안 통과

3) 유신 체제의 성립과 붕괴

① 성립 : 야당의 의석수 증가, 경제 불안, 냉전 체제의 완화로 반공 이념 약화

② 유신 헌법 : 통일 주체 국민 회의에서 간접 선거로 대통령 선출, 대통령 중임 제한 폐지, 대통령에게 강력한 권한 부여(국회 해산권, 긴급조치권 등)

③ 유신 체제 반대 운동 : 언론 · 노동 · 학생 계층의 유신 체제 반대 운동, 부 · 마 항쟁

④ 10 · 26 사태(1979) : 박정희 대통령 피살 → 유신 정부 붕괴

(3) 5 · 18 광주 민주화 운동과 6월 민주 항쟁

1) 5 · 18 광주 민주화 운동(1980)

① 12 · 12 사태(1979) : 전두환을 비롯한 신군부 세력의 정권 장악

② 5 · 18 광주 민주화 운동

· 배경 : 신군부의 전국 계엄령 확대 실시 → 무력 진압 시작

· 전개 : 광주에서 민주화 시위 → 계엄군과 시민들 대치 → 계엄군의 과잉 진압

2) 6월 민주 항쟁(1987)

① 전두환 정부

· 성립 : 통일 주체 국민 회의에서 대통령에 전두환 선출 → 헌법 개정 후 다시 대통령에 당선

· 민주주의 탄압 : 삼청 교육대 운영, 민주화 운동 탄압, 언론 통폐합

· 유화 정책 : 야간 통행 금지 해제, 교복 자율화, 해외 여행 자유화 등

② 6월 민주 항쟁

· 배경 : 전두환 정부의 독재 정치, 대통령 직선제 개헌 요구

· 전개 : 대통령 직선제 개헌 요구 시위 → 박종철 고문 치사 사건 발생 → 4 · 13 호헌(정부의 개헌 거부 조치) 발표 → 6월부터 전국적으로 민주화를 요구하는 시위 발생

· 결과 : 6 · 29 민주화 선언(대통령 직선제 수용 발표) → 헌법 개정 : 대통령 직선제,
5년 단임 → 대통령 선거에서 노태우 당선

3) **민주주의의 발전과 정착**

① 노태우 정부 : 서울 올림픽 개최, 북방 외교(사회주의 국가와 수교), 남북한 유엔 동
시 가입

② 김영삼 정부 : 민간 정부, 금융 실명제 실시, 역사 바로 세우기 운동, 지방 자치제
전면 실시, 외환 위기(IMF의 지원)

③ 김대중 정부 : 최초로 여 · 야 간 평화적 정권 교체, 외환 위기 극복, 대북 화해 협력
정책, 제1차 남북 정상 회담(평양)

④ 노무현 정부 : 권위주의 청산, 과거사 정리 사업 추진, 제2차 남북 정상 회담 개최

⑤ 이명박 정부 : 선진화를 통한 세계 일류 국가 건설을 국정 지표로 함

3 경제 성장과 사회 · 문화의 변동

(1) 경제 성장과 발전

1) 6 · 25 전쟁 이후의 경제

① 미국의 원조를 받아 전후 복구 사업 실시

② 삼백 산업(제분, 제당, 면방직) 발달, 농산물 가격 하락으로 농가가 타격을 받음

2) 경제 개발 계획 추진(1960~1970년대의 경제)

① 1960년대 : 제 1 · 2차 경제 개발 계획

· 외국 자본 유치, 경공업(신발, 의류, 가발 등) 육성

· 경부 고속 국도 건설(1970)

② 1970년대 : 제 3 · 4차 경제 개발 계획

· 중화학 공업(철강, 화학, 전자, 조선 등) 육성, 수출 주도형 정책 지속

· 고도 성장('한강의 기적')

· 1970년대 말 세계적 석유 파동으로 위기

3) 1980년대 이후의 경제

① 1980년대 : 3저 호황(저유가, 저금리, 저달러)으로 경제 성장, 기술 집약적 산업 성장

② 1990년대 : 경제 협력 개발 기구(OECD) 가입, 외환 위기(IMF사태, 1997)

③ 2000년대 : 외환 위기 극복, 정보 기술 · 전자 산업 등 첨단 산업 발달, 세계 여러
나라와 자유무역협정(FTA) 체결

4) 경제 성장 과정에서 나타난 문제점

① 저곡가 · 저임금 바탕의 성장 위주의 경제 정책 → 농민, 노동자의 희생이 따름

② 노동 문제 : 전태일 분신 사건(1970) 이후 노동 운동 활발

③ 농민 문제

· 도시와 농촌 간의 격차 → 새마을 운동 전개(1970년대)

· 외국 농산물 수입 개방(1990년대 이후) → 농민 운동 전개

4 통일을 위한 노력

(1) 북한의 독재 정권 성립

1) 6 · 25 전쟁 이후 : 반대 세력 제거 → 김일성 중심의 독재 체제 강화

2) 1960년대 : 북한의 독자 노선 추구 → 주체사상을 바탕으로 김일성 우상화

3) 1970년대 : 사회주의 헌법 제정(주체사상을 통치 이념으로 규정, 국가주석제 도입)

4) 세습 체제의 확립

① 김정일 세습 : 3대 혁명 소조 운동 지도 → 국방 위원장에 취임, 선군 사상 강조

② 김정은 세습 : 김정일 사망 후 권력 세습

(2) 북한의 경제

1) 6 · 25 전쟁 이후 : 천리마 운동, 사회주의 경제 체제 확립

2) 1960년대 이후 : 경제 개발 계획 추진 → 기술과 자본 부족, 폐쇄적인 경제 체제, 과도한 국방비 지출 등으로 한계 노출

3) 제한적 개방 정책 추진

① 1980년대 : 합영법 제정(외국의 자본과 기술 도입) → 성과 미흡

② 1990년대 이후 : 나진 · 선봉 경제 특구, 신의주 경제 특구, 금강산 관광 산업, 개성 공단 설립

(3) 남북 관계와 통일 정책

1) 7 · 4 남북 공동 성명(1972) : 자주 · 평화 · 민족적 대단결의 3대 통일 원칙에 합의

2) 전두환 정부 : 남북한 이산가족 상봉, 민족 화합 민주 통일 방안 제시(1민족 1체제)

3) 노태우 정부 : 남북 고위급 회담, 남북 유엔 동시 가입(1991), 남북 기본 합의서 채택, 한반도 비핵화 공동 선언

4) 김영삼 정부 : 3단계 통일 방안 제시(화해 · 협력 → 남북 연합 → 통일 국가 완성)

5) 김대중 정부 : 대북 화해 협력 정책 실시, 제1차 남북 정상 회담과 6 · 15 남북 공동 선언 발표(2000, 평양), 이산가족 상봉, 금강산 관광 사업, 경의선 복구, 개성 공단 설치

6) 노무현 정부 : 제2차 남북 정상 회담과 10 · 4 남북 공동 선언 발표(2007, 평양)

7) 이명박 정부 : 북한의 핵 개발과 미사일 발사 문제로 긴장감이 높아짐 → 상호주의 강조, 상생과 공영의 남북 관계 발전 추구

한국사

인쇄일	2022년 9월 13일
발행일	2022년 9월 20일
펴낸이	(주)매경아이씨
펴낸곳	도서출판 국자감
지은이	편집부
주소	서울시 영등포구 문래2가 32번지
전화	1544-4696
등록번호	2008.03.25 제 300-2008-28호
ISBN	979-11-5518-113-3 13370

기초다지기 / 기초굳히기

"기초다지기, 기초굳히기 한권으로 시작하는 검정고시 첫걸음"

· 기초부터 차근차근 시작할 수 있는 교재
· 기초가 없어 시작을 망설이는 수험생을 위한 교재

기본서

**"단기간에 합격! 효율적인 학습!
적중률 100%에 도전!"**

· 철저하고 꼼꼼한 교육과정 분석에서 나온 탄탄한 구성
· 한눈에 쏙쏙 들어오는 내용정리
· 최고의 강사진으로 구성된 동영상 강의

만점 전략서

"검정고시 합격은 기본! 고득점과 대학진학은 필수!"

· 검정고시 고득점을 위한 유형별 요약부터
  문제풀이까지 한번에
· 기본 다지기부터 단원 확인까지 실력점검

핵심 총정리

"시험 전 총정리가 필요한 이 시점! 모든 내용이 한눈에"

· 단 한권에 담아낸 완벽학습 솔루션
· 출제경향을 반영한 핵심요약정리

합격길라잡이

"개념 4주 다이어트, 교재도 다이어트한다!"

· 요점만 정리되어 있는 교재로 단기간 시험범위 완전정복!
· 합격길라잡이 한권이면 합격은 기본!

기출문제집

"시험장에 있는 이 기분! 기출문제로 시험문제 유형 파악하기"

· 기출을 보면 답이 보인다
· 차원이 다른 상세한 기출문제풀이 해설

예상문제

"오랜기간 노하우로 만들어낸 신들린 입시고수들의 예상문제"

· 출제 경향과 빈도를 분석한 예상문제와 정확한 해설
· 시험에 나올 문제만 예상해서 풀이한다

한양 시그니처 관리형 시스템

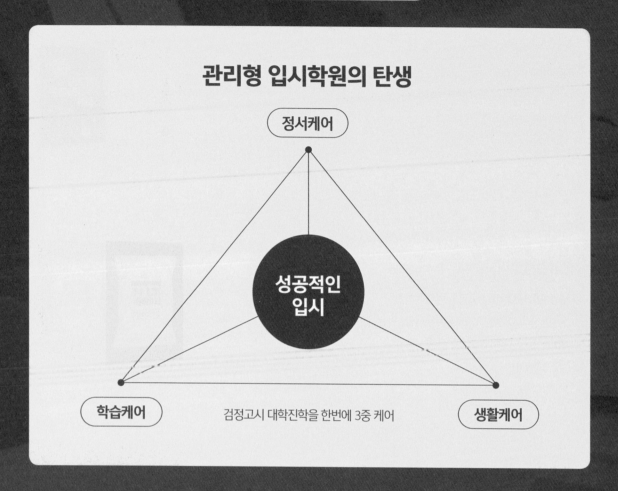

관리형 입시학원의 탄생

정서케어

성공적인
입시

학습케어

검정고시 대학진학을 한번에 3중 케어

생활케어

⚠ 정서케어

· 3대1 멘토링
 (입시담임, 학습담임, 상담교사)
· MBTI (성격유형검사)
· 심리안정 프로그램
 (아이스브레이크, 마인드 코칭)
· 대학탐방을 통한 동기부여

🖥 학습케어

· 1:1 입시상담
· 수준별 수업제공
· 전략과목 및 취약과목 분석
· 성적 분석 리포트 제공
· 학습플래너 관리
· 정기 모의고사 진행
· 기출문제 & 해설강의

⌂ 생활케어

· 출결점검 및 조퇴, 결석 체크
· 자습공간 제공
· 쉬는 시간 및 자습실
 분위기 관리
· 학원 생활 관련 불편사항
 해소 및 학습 관련 고민 상담

HANYANG
A C A D E M Y

한양 프로그램 한눈에 보기

· 검정고시반 중·고졸 검정고시 수업으로 한번에 합격!

기초개념	기본이론	핵심정리	핵심요약	파이널
개념 익히기	과목별 기본서로 기본 다지기	핵심 총정리로 출제 유형 분석 경향 파악	요약정리 중요내용 체크	실전 모의고사 예상문제 기출문제 완성

· 고득점관리반 검정고시 합격은 기본 고득점은 필수!

기초개념	기본이론	심화이론	핵심정리	핵심요약	파이널
전범위 개념익히기	과목별 기본서로 기본 다지기	만점 전략서로 만점대비	핵심 총정리로 출제 유형 분석 경향 파악	요약정리 중요내용 체크 오류범위 보완	실전 모의고사 예상문제 기출문제 완성

· 대학진학반 고졸과 대학입시를 한번에!

기초학습	기본학습	심화학습/검정고시 대비	핵심요약	문제풀이, 총정리
기초학습과정 습득 학생별 인강 부교재 설정	진단평가 및 개별학습 피드백 수업방향 및 난이도 조절 상담	모의평가 결과 진단 및 상담 4월 검정고시 대비 집중수업	자기주도 과정 및 부교재 재설정 4월 검정고시 성적에 따른 재시험 및 수시컨설팅 준비	전형별 입시진행 연계교재 완성도 평가

· 수능집중반 정시준비도 전략적으로 준비한다!

기초학습	기본학습	심화학습	핵심요약	문제풀이, 총정리
기초학습과정 습득 학생별 인강 부교재 설정	진단평가 및 개별학습 피드백 수업방향 및 난이도 조절 상담	모의고사 결과진단 및 상담 / EBS 연계 교재 설정 / 학생별 학습성취 사항 평가	자기주도 과정 및 부교재 재설정 학생별 개별지도 방향 점검	전형별 입시진행 연계교재 완성도 평가

HANYANG ACADEMY

D-DAY를 위한 신의 한수

검정고시생 대학진학 입시 전문

검정고시 합격은 기본!
대학진학은 필수!

입시 전문가의 컨설팅으로 성적을 뛰어넘는 결과를 만나보세요!

HANYANG ACADEMY

(YouTube)

모든 수험생이 꿈꾸는
더 완벽한 입시 준비!

 입시전략 컨설팅　　 수시전략 컨설팅　　 자기소개서 컨설팅

 면접 컨설팅　　 논술 컨설팅　　 정시전략 컨설팅

입시전략 컨설팅

학생 현재 상태를 파악하고 희망 대학
합격 가능성을 진단해 목표를 달성
할 수 있도록 3중 케어

수시전략 컨설팅

학생 성적에 꼭 맞는 대학 선정으로
합격률 상승! 검정고시 (혹은 모의고사)
성적에 따른 전략적인 지원으로 현실성
있는 최상의 결과 보장

자기소개서 컨설팅

지원동기부터 학과 적합성까지 한번에!
학생만의 스토리를 녹여 강점은
극대화 하고 단점은 보완하는
밀착 첨삭 자기소개서

면접 컨설팅

기초인성면접부터 대학별 기출예상질문
대비와 모의촬영으로 실전면접
완벽하게 대비

대학별 고사 (논술)

최근 5개년 기출문제 분석 및 빈출 주제를
정리하여 인문 논술의 트렌드를 강의!
지문의 정확한 이해와 글의 요약부터
밀착형 첨삭까지 한번에!

정시전략 컨설팅

빅데이터와 전문 컨설턴트의 노하우 /
실제 합격 사례 기반 전문 컨설팅

MK 감자유학

Valuable education content provider

We're Experts

우리는 최상의 유학 컨텐츠를 지속적으로 제공하기 위해 정기 상담자 워크샵, 해외 워크샵, 해외 학교 탐방, 웨비나 미팅, 유학 세미나를 진행합니다.

이를 통해 국가별 가장 빠른 유학트렌드 업데이트, 서로의 전문성을 발전시키며 다양한 고객의 니즈에 가장 적합한 유학솔루션을 제공하기 위해 최선을 다합니다.

KEY STATISTICS

30년+
전통교육그룹

17개
국내최다센터

15년
평균상담경력

24개국
해외네트워크

2,600+
해외교육기관

Educational
감자유학은 교육전문그룹인 매경아이씨에서 만든 유학부문 브랜드입니다. 국내 교육 컨텐츠 개발 노하우를 통해 최상의 해외 교육 기회를 제공합니다.

The Largest
감자유학은 전국 어디에서도 최상의 해외유학 상담을 제공할 수 있도록 국내 유학 업계 최다 상담 센터를 운영하고 있습니다.

Specialist
전 상담자는 평균 15년이상의 풍부한 유학 컨설팅 노하우를 가진 전문가 입니다. 이를 기반으로 감자유학만의 차별화된 유학 컨설팅 서비스를 제공합니다.

Global Network
미국, 캐나다, 영국, 아일랜드, 호주, 뉴질랜드, 필리핀, 말레이시아 등 감자유학 해외 네트워크를 통해 발빠른 현지 정보 업데이트와 안정적인 현지 정착 서비스를 제공합니다.

Oversea Instituitions
고객에게 최상의 유학 솔루션을 제공하기 위해서는 다양하고 세분화된 해외 교육기관의 프로그램이 필수 입니다. 2천개가 넘는 교육기관을 통해 맞춤 유학 서비스를 제공합니다.

 2020
대한민국 교육 산업
유학 부문 대상

 2012 / 2015
대한민국 대표
우수기업 1위

 2014 / 2015
대한민국 서비스
만족대상 1위

OUR SERVICES

현지 관리
안심시스템

엄선된
어학연수교

전세계 1%대학
입학 프로그램

전문가
1:1 컨설팅

All In One
수속 관리

해외
어학연수

English Language Study

해외
인턴십

Internship

해외
대학유학

University Level Study

해외
초중고유학

Early Study abroad

해외
영어캠프

English Camp

24개국 네트워크 미국 | 캐나다 | 영국 | 아일랜드 | 호주 | 뉴질랜드 | 몰타 | 싱가포르 | 필리핀

국내 유학업계 중 최다 센터 운영!

감자유학 전국센터

강남센터	강남역센터	분당서현센터	일산센터	인천송도센터
수원센터	청주센터	대전센터	전주센터	광주센터
대구센터	울산센터	부산서면센터	부산대연센터	
예약상담센터	서울충무로	서울신도림	대구동성로	

문의전화 **1588-7923**

왕초보 영어탈출 **구구단 잉글리쉬**

ABC 알파벳부터 회화까지~~ 구구단보다 쉬운영어~ ♪♫

01 | **구구단잉글리쉬는 왕기초 영어 전문 동영상 사이트 입니다.**
알파벳 부터 소리값 발음의 규칙 부터 시작하는 왕초보 탈출 프로그램입니다.

02 | **지금까지 영어 정복에 실패하신 모든 분들께 드리는 새로운 영어학습법!**
오랜기간 영어공부를 했었지만 영어로 대화 한마디 못하는 현실에 답답함을 느끼는 분들을
위한 획기적인 영어 학습법입니다.

03 | **언제, 어디서나 마음껏 공부할 수 있는 환경을 제공해 드립니다.**
인터넷이 연결된 장소라면 시간 상관없이 24시간 무한반복 수강!
태블릿 PC와 스마트폰으로 필기구 없이도 자유로운 수강이 가능합니다.

체계적인 단계별 학습

파닉스	어순	뉴앙스	회화
· 알파벳과 발음 · 품사별 기초단어	· 어순감각 익히기 · 문법개념 총정리	· 표현별 뉴앙스 · 핵심동사와 전치사로 표현력 향상	· 일상회화&여행회화 · 생생 영어 표현

파닉스		어순		어법
1단 발음트기	2단 단어트기	3단 어순트기	4단 문장트기	5단 문법트기
알파벳 철자와 소릿값을 익히는 발음트기	666개 기초 단어를 품사별로 익히는 단어트기	영어의 기본어순을 이해하는 어순트기	문장확장 원리를 이해하여 긴 문장을 활용하여 문장트기	회화에 필요한 핵심문법 개념정리! 문법트기

뉴앙스		회화	
6단 느낌트기	7단 표현트기	8단 대화트기	9단 수다트기
표현별 어감차이와 사용법을 익히는 느낌트기	핵심동사와 전치사 활용으로 쉽고 풍부하게 표현트기	일상회화 및 여행회화로 대화트기	감 잡을 수 없었던 네이티브들의 생생표현으로 수다트기

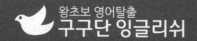

왕초보 영어탈출
구구단 잉글리쉬